atlas básico
de botánica

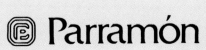
Parramón

Proyecto y realización
Parramón Ediciones, S.A.

Dirección Editorial
Lluís Borràs

Ayudante de edición
Cristina Vilella

Textos
Josep Cuerda

Revisión técnica
Carles Rubio

Diseño gráfico y maquetación
Estudi Toni Inglés

Fotografías
AGE-Fotostock, E. Banqueri, Boreal, M. Clemente,
A. Culla, M.M. Pons, Prisma, Sincronía

Ilustraciones
Archivo Parramón, Farrés il·lustració, A. Martínez,
J. Torres, Studio Cámara

Dirección de Producción
Rafael Marfil

Producción
Manel Sánchez

Tercera edición: mayo 2005

Atlas básico de botánica
ISBN: 84-342-2464-X

Depósito Legal: B-21.235-2005

Impreso en España
© Parramón Ediciones, S.A. – 2003
Ronda de Sant Pere, 5, 4ª planta - 08010 Barcelona
Empresa del Grupo Editorial Norma

PRESENTACIÓN

EAS

Este atlas de botánica ofrece la posibilidad de conocer el mundo de los vegetales, desde aquellos que son invisibles a simple vista, como las algas microscópicas, hasta los gigantescos árboles que forman los densos bosques de las regiones cálidas y húmedas de nuestro planeta. Constituye, por tanto, un instrumento muy útil para darnos cuenta de la gran variedad de formas y estilos de vida vegetal que podemos encontrar bajo diferentes climas y suelos.

El conjunto de los distintos apartados que componen esta obra forman un auténtico compendio de botánica. Constan de múltiples láminas y numerosas figuras, esquemáticas aunque rigurosas, que muestran las principales características de la anatomía, la fisiología y la reproducción de los diferentes grupos y especies vegetales. Tales ilustraciones, que constituyen el núcleo central de este volumen, están complementadas con breves explicaciones y  apuntes que facilitan la comprensión de los principales conceptos, así como con un índice alfabético que permite localizar con facilidad toda cuestión de interés.

Al emprender la edición de este atlas de botánica nos marcamos como objetivos realizar una obra práctica y didáctica, útil y accesible, de rigurosa seriedad científica y, a la par, amena y clara. Esperamos que los lectores consideren cumplidos nuestros propósitos.

SUMARIO

INTRODUCCIÓN

Denominamos setas a los cuerpos fructíferos de ciertas especies de hongos. Algunas setas son comestibles y, otras, en cambio, muy venenosas.

LA BOTÁNICA

La botánica es una rama de la ciencia que se ocupa del estudio de los **vegetales**. Pero mucho antes de comprender el funcionamiento de estos organismos y las causas de la gran diversidad de formas que existen en la naturaleza, los seres humanos ya estaban profundamente interesados en estos seres vivos tan diferentes de los animales.

Los primitivos humanos conocían los vegetales por la **utilidad** que éstos tenían para ellos. Unos eran comestibles y proporcionaban alimento, mientras que otros eran perjudiciales o incluso venenosos. La madera, los tallos y las hojas de determinadas plantas servían para confeccionar chozas, embarcaciones, útiles de caza y pesca, cestos y un gran número de utensilios. Ciertas plantas tenían poderes curativos o calmaban el dolor; otras potenciaban las capacidades físicas o mentales.

Uno de los pasos más trascendentales en la historia del ser humano fue la **domesticación** de ciertas

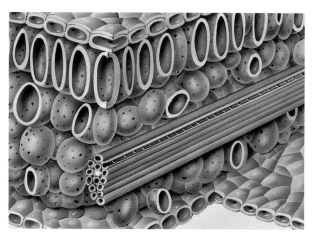

Gracias al microscopio podemos conocer la estructura íntima de las plantas.

plantas y el desarrollo de la agricultura. De la simple recolección de vegetales silvestres, el hombre pasó a proteger los que más le interesaban y acabó recolectando sus semillas para sembrarlas. De esta manera iniciaba el camino de la selección hasta conseguir las plantas que hoy cultivan los agricultores de todo el mundo.

El ser humano no ha dejado nunca de interesarse por los vegetales. En la Antigüedad, hace unos 3.000 años, empezó a preocuparse por ordenar sus conocimientos sobre ellos. Sin embargo, la botánica fue durante mucho tiempo una simple rama de la medicina, y hasta el siglo XVI no fue una ciencia independiente. Un siglo más tarde, el descubrimiento del **microscopio** permitió a los botánicos ver estructuras y detalles de los vegetales que hasta entonces no habían podido ver a simple vista. A partir de entonces, el conocimiento de los seres vivos en general creció a pasos agigantados.

LA CLASIFICACIÓN DE LOS VEGETALES

Para estudiar los vegetales, los botánicos siempre han sentido la necesidad de ordenarlos y clasificarlos en grupos con características comunes. Las primeras clasificaciones que se hicieron se basaban fundamentalmente en el aspecto exterior de los organismos, es decir, en su **morfología**. Más tarde, con el desarrollo de las teorías sobre la **evolución** de la vida en nuestro planeta, todos los seres vivos se clasifica-

Un árbol es una planta vivaz de, al menos, 5 metros de altura, sin contar las raíces, que lo sujetan al suelo.

ron en función del grado de **parentesco** que hay entre ellos. De esta manera, todos los vegetales componentes de un mismo grupo descienden de una misma especie ancestral que evolucionó hacia formas de vida mejor adaptadas a nuevas situaciones.

LOS CINCO REINOS DEL MUNDO VIVIENTE

Antiguamente los seres vivos se clasificaban en dos grandes reinos: vegetal y animal. Hoy se considera que esta **clasificación** no se corresponde con el árbol genealógico de los seres vivos y éstos se clasifican en cinco reinos. El más elemental de ellos es el de los **Moneras**, que son las bacterias y las algas verdeazuladas. Todos los demás seres unicelulares, junto con los pluricelulares que carecen de tejidos y órganos diferenciados, forman el reino de los **Protoctistas**, en el que se hallan incluidas las algas (excepto las verdeazuladas) y los protozoos (antes considerados animales unicelulares). Los **Hongos** forman un reino independiente; se consideran vegetales porque viven fijos en el suelo u otro sustrato, pero no tienen clorofila ni realizan la fotosíntesis como las algas y las plantas. El reino de las **Plantas** está integrado por los vegetales terrestres con clorofila, las plantas verdes que vemos. El quinto reino es el de los **Animales**.

No obstante, se siguen denominando **vegetales** a todos aquellos organismos que tienen una pared rígida rodeando sus células y que son incapaces de desplazarse por sí mismos, como hacen los animales y los protozoos. De la misma manera que se consideran **algas** a todos los vegetales con clorofila que, al vivir en el agua, tienen un cuerpo muy sencillo, sin raíces ni órganos reproductores ni tubos conductores ni tejidos especiales para sostenerse.

ANATOMÍA VEGETAL

La anatomía es la rama de la biología que estudia cómo son los seres vivos por dentro. A simple vista se pueden distinguir bastantes características de un vegetal, siempre y cuando se trate de un vegetal pluricelular de un cierto tamaño. Por ejemplo, puedes deshojar una rosa y contar sus pétalos, así como ver cómo tiene distribuidos los estambres en el interior de la corola. Pero para observar y distinguir con claridad las diferentes partes de que está formado cada uno de los estambres, necesitarías una lupa.

Los vegetales más sencillos son **unicelulares**, es decir, su cuerpo consta de una única célula, como es el caso de muchas algas y muchos hongos. Los demás vegetales tienen el cuerpo formado por muchas células conectadas entre sí. La estructura interna de los seres **pluricelulares** puede llegar a ser muy complicada. Diferentes tipos de células se agrupan para formar **tejidos** con funciones específicas. Éstos, a su vez, se encuentran organizados en estructuras funcionales más complicadas llamadas **órganos**. Por último, un conjunto de tejidos y órganos trabajando de forma coordinada constituyen un **aparato** o **sistema** que realiza un grupo de funciones vitales determinado, como el aparato reproductor de las plantas superiores, que es la flor.

FISIOLOGÍA VEGETAL

La fisiología es la rama de la biología que estudia cómo funcionan los seres vivos: cómo se alimentan y respiran, cómo crecen, cómo se protegen contra

La remolacha es una planta cultivada muy útil. La remolacha de huerta (en el dibujo) se puede consumir cruda o cocida; de la remolacha azucarera se obtiene azúcar, y la remolacha forrajera se destina a la alimentación de animales.

las condiciones desfavorables y sus enemigos, cómo se relacionan, cómo se reproducen, etc. Gracias a que cada especie vegetal funciona de una manera distinta, puede haber vegetales en todos los lugares del planeta y puede haber una gran **diversidad de especies** en un mismo lugar.

Un árbol de la selva tropical no podría vivir en las regiones de clima frío. Sus hojas, persistentes durante todo el año y desprotegidas contra las bajas temperaturas, se congelarían con las heladas invernales. Pero hay otros árboles adaptados a funcionar en estas condiciones, como los abetos o los abedules, así como las plantas del desierto tienen mecanismos especiales para soportar largas sequías y fuertes insolaciones que no soportarían las plantas de otras regiones.

De la misma manera, en una misma masa de vegetación conviven especies de raíces superficiales con otras de raíces profundas que se alimentan a diferentes niveles del subsuelo. También hay plantas que utilizan los troncos de otras como soporte para asomarse a la luz sin necesidad de fabricar su propio tronco, como las enredaderas. La época de floración es otro de los rasgos fisiológicos que ayudan a convivir, ya que floreciendo en diferentes épocas las plantas no tienen las mismas necesidades todas al mismo tiempo, sino repartidas a lo largo del año.

REPRODUCCIÓN Y HERENCIA

Si antes de morir, los individuos no dejaran **descendencia**, desaparecería la vida en nuestro planeta. Una de las principales características de los seres vivos es precisamente la capacidad reproductora, es decir, la formación de una nueva generación de descendientes parecidos a los **progenitores**. La transmisión de los rasgos y caracteres de los padres a los descendientes, llamada **herencia**, tiene lugar a través de los **genes** que hay en los **cromosomas** del interior de las células de todo ser vivo.

El tipo de reproducción utilizada por el pino y todas las plantas con semillas, así como por muchos otros vegetales, se llama **reproducción sexual** porque el embrión se forma por la unión de dos células germinales de diferente sexo: una masculina y otra femenina. Es el mismo sistema reproductivo que utilizan los humanos y los animales superiores. Pero la gran mayoría de las plantas también puede reproducirse de forma **asexual**, sea por esporas, fragmentos del cuerpo u otros sistemas similares. El hombre ha utilizado esta propiedad de los vegetales desde tiempos inmemoriales con fines agrícolas, practicando la multiplicación por **esquejes** e **injertos**.

La piña es el estróbilo (formado por brácteas y semillas) del pino. Las semillas son los piñones, comestibles.

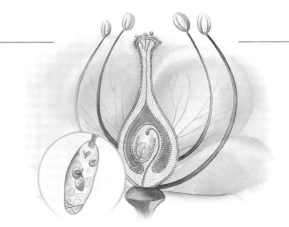

La flor constituye un conjunto de órganos de reproducción de ciertas plantas.

La flor de la pasión, o pasionaria, recibe este nombre porque en ella se ha creído reconocer la corona de espinas, los clavos y el martillo para clavar éstos en Jesucristo.

EVOLUCIÓN

Mediante la reproducción sexual, al haber mezcla de genes paternos y maternos, hay **variabilidad** en la descendencia. Eso se ve claramente en las familias humanas: los hermanos se parecen entre sí, pero no son exactamente iguales y unos se parecen más al padre mientras otros se parecen más a la madre. Esta variabilidad, junto con otras alteraciones accidentales que pueden producirse en el material genético llamadas **mutaciones**, hace que cuando hay cambios en las condiciones ambientales haya unos individuos más aptos que otros para vivir en la nueva situación.

Los seres vivos viven formando **poblaciones**. Una población es un conjunto de individuos de la misma **especie** que viven en un determinado lugar y se relacionan y reproducen entre ellos. Al haber variabilidad, los individuos mejor adaptados de una población tendrán más éxito y producirán más descendencia que los menos aptos. Estos últimos no podrán competir y acabarán desapareciendo. Es el proceso de **selección natural** que viene produciéndose en el mundo viviente desde el inicio de la vida en nuestro planeta.

Los vegetales primitivos eran algas unicelulares que fueron evolucionando a lo largo de millones de años hacia formas pluricelulares cada vez más complejas, que son las algas que vemos en los fondos marinos del litoral. Algunas de estas algas evolucionaron hacia formas con características nuevas que les permitieron adaptarse a vivir fuera del agua, aunque en lugares húmedos, como los musgos y los helechos. Pero la evolución es un proceso que no se detiene y fueron surgiendo nuevas especies de plantas cada vez mejor adaptadas a vivir en tierra firme y en las condiciones más diversas de humedad y sequedad.

ECOLOGÍA

La ecología se basa en el hecho de que en la naturaleza nada funciona de forma aislada, sino que todas las cosas y todos los seres vivos están relacionados entre sí, de tal manera que se mantiene un **equilibrio**. Cualquier cambio en las condiciones físicas o biológicas desequilibra estas relaciones y puede representar la desaparición de determinadas especies y la aparición o no de otras. Los vegetales son la base de todas las demás formas de vida. Si no hubiera vegetales, no habría animales herbívoros y, por tanto, tampoco habría carnívoros. Y naturalmente tampoco existiríamos los humanos. De aquí la importancia ecológica que tienen los vegetales y la necesidad que tenemos de protegerlos.

En cada lugar del mundo hay unas determinadas especies vegetales que pueden vivir en las condiciones climáticas y el tipo de suelo que allí se dan. Pero sólo encontraremos aquellas que hayan triunfado al competir con las vecinas que tienen necesidades similares. Es la **comunidad vegetal** del lugar, que comparte el espacio con la **comunidad animal**. Ambas comunidades, junto con el **medio físico** y las condiciones ambientales reinantes (clima, suelo, etc.), constituyen un **ecosistema** en el que todos los factores y componentes se influyen e interactúan.

CÉLULAS, TEJIDOS Y ÓRGANOS

Todos los seres vivos están formados por células, que son las unidades más pequeñas que existen con vida propia. Sólo podemos verlas con ayuda de un **microscopio**. Los organismos que no vemos a simple vista están formados por una sola célula, es decir, son **unicelulares**. Pero los vegetales y animales que ves habitualmente son **pluricelulares**: tienen **tejidos** compuestos de muchas células íntimamente asociadas para realizar una misma tarea, así como **órganos** formados por varios tejidos que de una forma coordinada desempeñan una función vital importante.

LA CÉLULA VEGETAL

Todas las células constan básicamente de un líquido viscoso, llamado **citoplasma**, rodeado de una cubierta llamada **membrana celular**. Inmersos en el citoplasma se hallan los **orgánulos celulares**, el más importante de los cuales es el **núcleo**, que viene a ser el cerebro de la célula. El núcleo contiene los **cromosomas** portadores de la información genética. Otros orgánulos importantes son las **mitocondrias**, que producen la energía vital de la célula, y el **retículo endoplasmático**, en cuyas paredes se hallan los **ribosomas** donde se fabrican las **proteínas**. Pero la célula vegetal tiene, además, **plastos** provistos de pigmentos, **vacuolas** o cavidades llenas de agua con sustancias alimenticias, y una **pared celular** rígida que engloba la membrana.

CÉLULAS SIN PARED

Entre la hojarasca húmeda de los bosques viven unos **hongos unicelulares** que son los únicos vegetales que pueden cambiar de forma, porque su célula carece de pared celular rígida. Son los **hongos mucilaginosos**.

Las **algas** y los **hongos** no tienen verdaderos tejidos. Los **musgos** y otras plantas que viven en lugares húmedos tienen tejidos muy simples. Las plantas que necesitan tejidos y órganos especializados son aquellas que viven en tierra firme y no están bañadas por el agua, es decir, las auténticas **plantas terrestres**.

CÉLULA VEGETAL TÍPICA

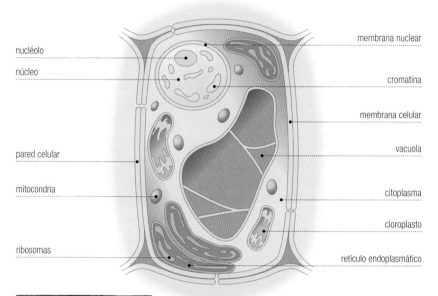

nucléolo
núcleo
pared celular
mitocondria
ribosomas

membrana nuclear
cromatina
membrana celular
vacuola
citoplasma
cloroplasto
retículo endoplasmático

Colonia de hongos mucilaginosos.

CÉLULAS SIN NÚCLEO

Las bacterias, antiguamente consideradas vegetales, son organismos cuya célula carece de núcleo y de la mayoría de orgánulos (célula procariota). Dicha célula también tiene pared celular, pero no es de celulosa.

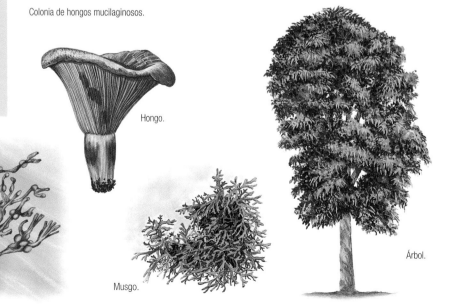

Hongo.

Alga.

Musgo.

Árbol.

Introducción

Anatomía vegetal

Fisiología vegetal

Reproducción

Flor, fruto y semilla

Ecología y evolución

Las algas

Los hongos

Las plantas

Plantas con flores y frutos

Las plantas y su ambiente

Las plantas acuáticas

Las plantas silvestres

Las plantas domesticadas

El jardín

Índice alfabético de materias

CÉLULAS ESPECIALIZADAS

En los organismos unicelulares, la **división de una célula** en dos células hijas da por resultado dos nuevos individuos. En los pluricelulares, las dos nuevas células permanecen asociadas formando parte de un **tejido** en crecimiento. En un tejido hay varios tipos de **células especializadas**, y las células hijas que se van formando realizan las mismas funciones.

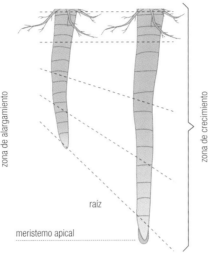

Alga unicelular en proceso de división.

CRECIMIENTO EN LONGITUD DEL TALLO Y LA RAÍZ

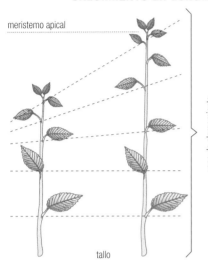

meristemo apical

zona de alargamiento

tallo

zona de crecimiento

raíz

meristemo apical

TEJIDOS EMBRIONARIOS

Los tejidos embrionarios están formados por **células inmaduras** cuya principal función es crecer, dividirse y diferenciarse para dar origen a los demás tipos de tejidos. Están en las partes en crecimiento de las plantas: en las puntas de raíces y tallos está el **meristemo apical**, que produce el crecimiento en longitud; el crecimiento en grosor corresponde al **cámbium**.

TEJIDOS ADULTOS

Los tejidos adultos están formados por **células maduras** que ya están especializadas en una determinada función. Los hay de tres tipos:

1. protectores: constituyen la **epidermis** o cubierta externa de raíces, tallos y hojas;

2. vasculares: son el **xilema** y el **floema**, los tejidos conductores de las plantas. Están formados por un entramado de tubos microscópicos por los que circula el agua, las sales minerales y los nutrientes;

3. fundamentales: son el **parénquima**, **colénquima** y **esclerénquima**, que dan sostén a la planta y participan en la producción y el almacenamiento de nutrientes. Integran la mayor parte del cuerpo de las plantas.

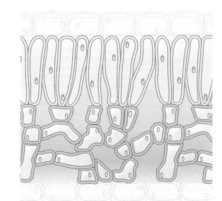

Aspecto del parénquima de una hoja.

CORTE DEL TALLO DE UN PINO

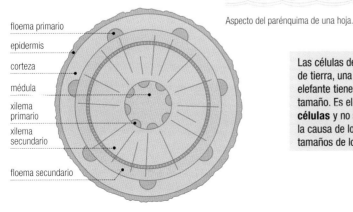

floema primario
epidermis
corteza
médula
xilema primario
xilema secundario
floema secundario

Las células de una lombriz de tierra, una persona o un elefante tienen el mismo tamaño. Es el **número de células** y no su tamaño la causa de los diferentes tamaños de los seres vivos.

LOS ÓRGANOS DE LAS PLANTAS

El cuerpo de las plantas complejas está formado por dos sistemas orgánicos básicos: la **raíz** y el **retoño** o parte aérea. Ambos sistemas están íntimamente conectados. El retoño está formado por varios órganos: el **tallo**, las **hojas**, las **flores** y los **frutos**.

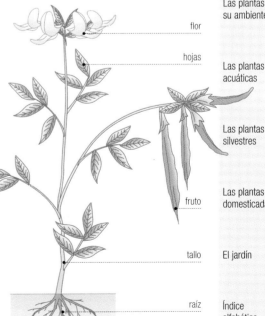

flor
hojas
fruto
tallo
raíz

EL TALLO

El tallo es la parte intermedia del cuerpo de las plantas. Las algas, los hongos y los musgos no necesitan tener un tallo que les sostenga y les distribuya el agua y el alimento a través de vasos conductores. Pero las plantas superiores necesitan conducir el agua, los minerales y los nutrientes entre las hojas y las raíces, cosa que hacen a través del tallo. La otra función importante del tallo es sostener sus hojas por encima de las hojas de las plantas vecinas competidoras y mantener la planta erguida a pesar de los embates del viento y las tormentas.

ESTRUCTURA DEL TALLO

Si cortamos transversalmente el tallo de una planta joven, podremos observar dos zonas:

1. el **cilindro cortical:** constituido por la **epidermis** y la corteza (formada por parénquima).

2. el **cilindro central:** en él se encuentran los tejidos conductores, el floema y el xilema.
   En la parte más interna está la **médula,** formada por parénquima de relleno.

CORTE DE UN TALLO

vasos liberianos (floema)

vasos leñosos (xilema)

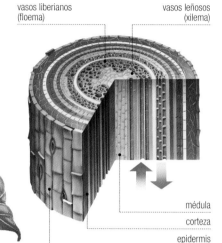

médula

corteza

epidermis

EJEMPLOS DE DIFERENTES TIPOS DE TALLOS

Tipo de tallo	Planta
Trepador	Vid
Suculento	Chumbera
Rastrero	Sandía
Caña	Bambú
Rizoma	Lirio
Bulbo	Cebolla
Tubérculo	Patata

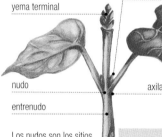

yema terminal

yema axilar

nudo

axila

entrenudo

Los nudos son los sitios donde nacen las hojas; los entrenudos son las zonas comprendidas entre los nudos.

TALLOS ESCALADORES

Cuando veas una planta de **judía** o una **madreselva**, fíjate cómo el tallo se enrosca a la caña u otro soporte. Estos **tallos trepadores** se llaman **volubles**. Otros tallos trepan mediante raíces adherentes, como la **viña virgen**, mediante **zarcillos**, como la **vid**, o por medio de **espinas**, como la **zarzamora**.

TALLOS DE MUCHOS TIPOS

Por la consistencia de sus tallos, las plantas terrestres se pueden dividir en dos grandes grupos: **plantas herbáceas**, de tallo blando y verde, y **plantas leñosas**, de tallo macizo y duro como el de los árboles y arbustos. Pero, por la forma y la función que desempeña, el tallo puede ser **trepador**, si crece encaramándose a un soporte; **suculento**, cuando es carnoso y jugoso; o **rastrero**, cuando crece apoyándose en el suelo. Otros tallos reciben nombres comunes como **caña** (tallo leñoso con nudos), **rizoma** (tallo subterráneo que perdura cuando muere la parte aérea de la planta), **bulbo** (tallo muy acortado y rodeado de muchas hojas carnosas), **tubérculo** (porción de tallo subterráneo engrosada con reservas nutritivas) y otros.

Gracias a su tallo trepador, la viña virgen se encarama por los muros. En otoño adquiere un bonito tono rojizo.

La cebolla tiene el tallo en forma de bulbo.

Lo que suele llamarse hojas de la **chumbera** son en realidad **tallos suculentos** que se han convertido en órganos de reserva de agua. Las verdaderas hojas están transformadas en espinas. Por eso los tallos de la chumbera son verdes y hacen la función de hojas.

Las patatas son porciones de tallo subterráneo engrosadas.

RAMIFICACIÓN DEL TALLO

El tallo principal que brota al nacer una planta puede ramificarse emitiendo tallos de segundo orden, a los que se llama **ramas**, en las axilas de las hojas. Éstos pueden ramificarse de nuevo, y así sucesivamente, produciéndose el fenómeno denominado **ramificación**. En árboles como el abeto que ponemos en casa cuando llega la Navidad, el eje principal va creciendo y echando ramas laterales. Es el tipo de ramificación **monopódica**. Pero en la mayoría de los árboles, como la **encina** y el **castaño**, el crecimiento del eje cesa pronto y prosigue el crecimiento de las ramas laterales. Es la ramificación **simpódica**. Cuando se trata de árboles, el conjunto del ramaje constituye la **copa**.

La secuoya puede llegar a vivir más de 3.000 años.

La **ramificación monopódica** permite un elevado crecimiento hacia arriba. Es el caso del árbol más alto del mundo, la **secuoya gigante**. Su eje central puede alcanzar los 100 m de altura.

EL TRONCO-ESPONJA

El tronco del **baobab** es un ejemplo de tallo adaptado a las fuertes sequías, ya que se trata de un árbol que crece en las regiones cálidas y secas de África, India y Australia. Absorbe y almacena grandes cantidades de agua que le serán de vital importancia durante los largos períodos secos. Escasamente rebasa los 10 m de altura, pero puede alcanzar 20 m de circunferencia.

La copa del castaño cubre prácticamente todo su eje.

El baobab, con su característico tronco-esponja.

EL CORCHO PROTECTOR

Muchos tallos de plantas leñosas, al envejecer, pierden el color verde primitivo y se desprenden de la epidermis, que es sustituida por un revestimiento de **corcho liso** o, como en el caso del alcornoque, de **costras de corcho** gruesas y agrietadas. El nuevo tejido, formado de **células suberosas** unidas entre sí sin dejar espacios, hace que no se evapore tanta agua de la planta. Las costras gruesas, además, impiden el ataque de los parásitos y, a consecuencia de su efecto aislante del calor, protegen la planta frente a las temperaturas muy elevadas.

Gracias al corcho que recubre el tronco y las ramas viejas del alcornoque, este árbol resiste los incendios, rebrotando de sus yemas que han quedado protegidas del fuego.

LAS HOJAS

¿Por qué crees que las hojas son delgadas y planas? La explicación radica en que tienen que fabricar los alimentos para la planta, cosa que hacen mediante la **fotosíntesis** (síntesis mediante la luz). Al tener esta forma, logran una máxima absorción de la energía lumínica. Además, si te fijas verás que están dispuestas en el tallo o las ramas de tal manera que se molestan lo menos posible para captar luz.

PARTES DE UNA HOJA

La mayoría de las hojas constan de tres partes: la vaina, el pecíolo y el limbo. La **vaina** es la base de inserción de la hoja en el tallo. El **pecíolo** es el rabillo de la hoja, que une la vaina al **limbo**. Éste es la porción laminar de la hoja y consta de dos caras: la superior, llamada **haz**, y la inferior o **envés**. El pecíolo se continúa con el **nervio central** de la hoja, que se subdivide para dar origen a muchos **nervios** de menor calibre que se ramifican o corren paralelos entre sí.

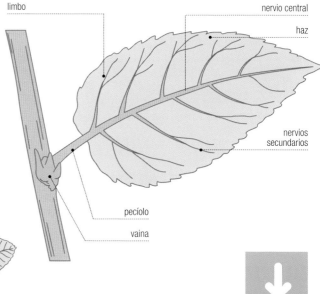

PARTES DE UNA HOJA

limbo — nervio central — haz — nervios secundarios — pecíolo — vaina

Hoja simple de la lila.

folíolos

Hoja palmeada (compuesta) del castaño de Indias.

HOJAS SIMPLES Y COMPUESTAS

Una hoja se llama **simple** cuando su limbo es de una sola pieza. Cuando está formada por varias hojitas **(folíolos)** con sus pequeños rabillos arrancando de un punto o nervio central, la hoja recibe el nombre de **compuesta**.

En algunas **palmeras tropicales**, la capa de **cera** que impermeabiliza la epidermis de las hojas es tan gruesa que se cosecha para usarla como cera para zapatos y pavimentos.

ESTRUCTURA DE UNA HOJA

El limbo de la hoja está formado por una lámina de tejido fotosintético, llamada **mesofilo**, recubierta en ambas caras por un tejido liso y lustroso que constituye la epidermis de la hoja. La **epidermis** impide que el mesofilo se seque, para lo que suele estar impermeabilizada por una capa de **cera**. Los **nervios** son los **haces vasculares**. Las células del mesofilo son verdes debido a la gran cantidad de **clorofila** que contienen sus **cloroplastos**.

Las hojas de algunas plantas poseen **vellosidades** que pueden tener funciones diversas, como frenar el aire para reducir la evaporación, repeler a los herbívoros (sobre todo si son urticantes) o reflejar la luz solar y así evitar el sobrecalentamiento del limbo.

SECCIÓN DE UNA HOJA

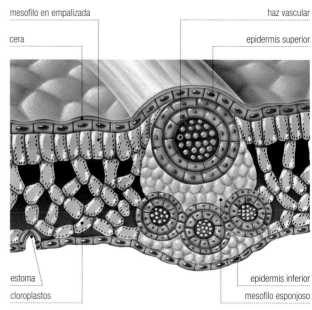

mesofilo en empalizada — haz vascular — cera — epidermis superior — estoma — cloroplastos — epidermis inferior — mesofilo esponjoso

LOS IMPRESCINDIBLES ESTOMAS

Los **estomas** son **orificios microscópicos** que la hoja tiene en la epidermis de su cara inferior. Su función es permitir la entrada del **dióxido de carbono** del aire, sin el cual sería imposible la fotosíntesis. Sin embargo, con los estomas abiertos la hoja se expone a pérdidas de agua por evaporación. Esto no ocurre porque cada estoma es como una boca diminuta rodeada de un par de **células oclusivas** en forma de labios que permiten a la planta cerrar sus estomas cuando corre peligro de deshidratarse.

UN ESTOMA CASI CERRADO (IZQUIERDA) Y ABIERTO (DERECHA)

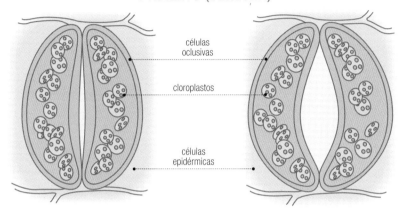

células oclusivas

cloroplastos

células epidérmicas

Durante las horas más calurosas de los días estivales, las hojas del **eucalipto** se orientan paralelas a los rayos del Sol, ya que así se calientan menos y pierden menos agua por evaporación. No sería una idea afortunada plantar un eucalipto para disfrutar de buena sombra en verano.

HOJAS DISFRAZADAS

Las **escamas** de las yemas y los bulbos, muchas **espinas** o **pinchos** y la mayor parte de las **piezas de las flores**, son hojas transformadas. También lo son las **trampas de las plantas carnívoras**, que se alimentan de pequeños animales a fin de obtener las sales minerales que no contienen los suelos donde crecen.

TIPOS DE HOJAS

Las formas que pueden presentar las hojas son tan variadas que su lista sería interminable. Los botánicos las distinguen sobre todo:

• **por el limbo:** puede ser **cuneiforme** (forma de cuña), **sagital** (en flecha), **glabra** (de superficie lisa), **pubescente** (cubierta de pelos), etc.;

• **por el borde del limbo:** puede ser **entera** (borde liso), **dentada** (con dientes), **aserrada** (con dientes agudos e inclinados), **lobulada** (dividida en porciones redondeadas), etc.;

• **por los nervios:** puede ser **penninervia** (como las barbas de una pluma), **palminervia** (los nervios arrancan de un mismo punto), **paralelinervia** (nervios paralelos), etc.;

• **por la inserción en el tallo:** puede ser **sésil** (sin pecíolo), **envainadora** (la vaina abraza al tallo), etc.

Las hojas de los brotes principales del **agracejo** se transforman en **espinas**, de ordinario trifurcadas.

DISTINTOS TIPOS DE HOJAS

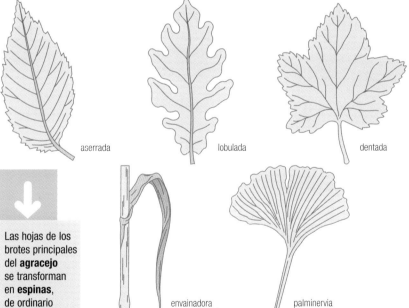

aserrada

lobulada

dentada

envainadora y paralelinervia

palminervia

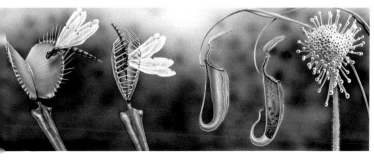

Plantas carnívoras en acción.

LAS VORACES NEPENTES

Las nepentes son **plantas carnívoras** que atraen a los insectos con sus vivos colores y su néctar. Las hojas presentan en su vértice una excrecencia que forma una especie de **urna** con un líquido digestivo en el que se ahogan los insectos.

LA RAÍZ

No creas que las raíces sólo sirven para sostener firmemente a la planta en la tierra. Todas las sustancias necesarias para las plantas, excepto oxígeno, dióxido de carbono y energía solar, tienen que ser absorbidas por sus raíces, que crecen dentro del suelo extendiéndose en busca de agua y minerales. Además de absorber estas sustancias del suelo, las raíces tienen que transportarlas al tallo a través de la zona de unión con éste, el **cuello de la raíz**.

ELEMENTOS DE LA RAÍZ

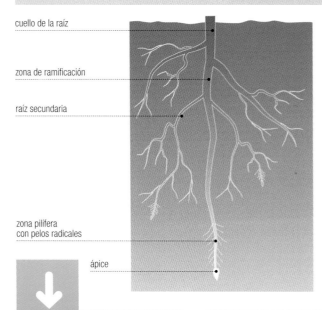

cuello de la raíz

zona de ramificación

raíz secundaria

zona pilífera
con pelos radicales

ápice

En general, las raíces presentan dos zonas importantes bien definidas: el ápice o cono vegetativo y la zona pilífera. El **ápice** es la zona de crecimiento situada en el extremo de la raíz. Es muy corto (unos 5 mm), ya que, de no ser así, la raíz se torcería fácilmente al crecer oponiéndose a la resistencia del suelo. Además, se halla protegido por una especie de caperuza llamada **caliptra** o cofia que le ayuda a penetrar en la tierra. La **zona pilífera** es la porción más joven de la raíz; empieza a pocos milímetros de la caliptra y está provista de **pelos radicales**.

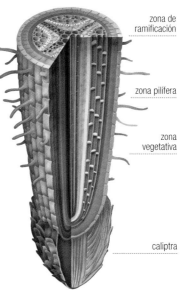

zona de ramificación

zona pilífera

zona vegetativa

caliptra

Salvo en lugares especiales como el desierto o el agua, la masa total de las raíces de una planta equivale aproximadamente a la de las ramas.

Las raíces de todas las plantas del mundo extraen varias toneladas (miles de kilos) de minerales del suelo cada minuto.

LOS PELOS RADICALES

Los pelos radicales aumentan la superficie de absorción de la raíz, facilitando de este modo la absorción de agua y minerales del suelo. Pero viven pocos días, por lo que sólo cubren una parte muy reducida de la raíz. Los más viejos se secan y se desprenden, siendo sustituidos por otros nuevos que se forman cerca del ápice. También se llaman **pelos absorbentes** porque a través de su fina membrana ingresan en las raíces el agua y las sustancias disueltas para ser conducidas hasta los haces vasculares que las harán llegar a las hojas de la planta.

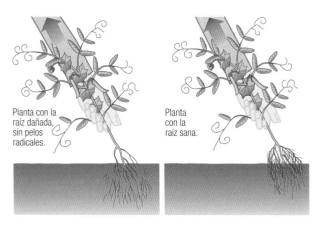

Planta con la raíz dañada, sin pelos radicales.

Planta con la raíz sana.

DETALLE DE LA ZONA PILÍFERA

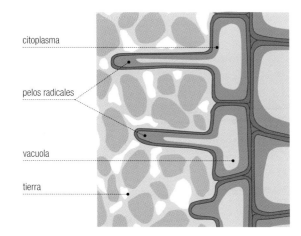

citoplasma

pelos radicales

vacuola

tierra

LOS PELIGROS DEL TRASPLANTE

Si al trasplantar una planta no vas con cuidado y se pierden los pelos radicales o la rizodermis de la raíz, quedando ésta desnuda, será muy difícil que la planta pueda seguir desarrollándose, e incluso sobrevivir, ya que sus raíces quedarán privadas por unos días de su capacidad de absorción. Sólo podrás salvarla quitándole las hojas, a fin de reducir la deshidratación hasta que crezcan nuevos pelos radicales.

ESTRUCTURA DE LA RAÍZ

Las raíces están formadas en su mayor parte por **corteza**, sobre todo de **tejido parenquimático**. Las más gruesas se parecen mucho a las ramas de las plantas leñosas; pero las más pequeñas están cubiertas solamente por una **epidermis radicular** o **rizodermis**, de cuyas células salen los **pelos radicales**. El interior de la raíz está ocupado por el cilindro **central**, por el que corren los **haces vasculares** de xilema y floema.

PARTES DE LA RAÍZ

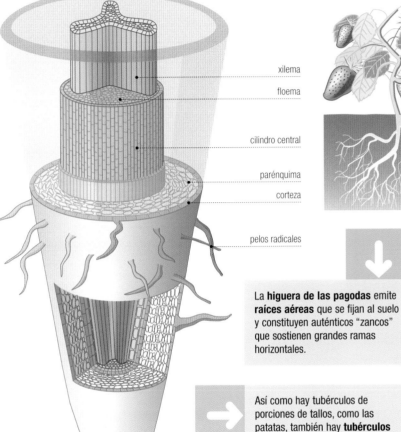

xilema
floema
cilindro central
parénquima
corteza
pelos radicales
rizodermis

RAÍCES ANORMALES PERO MUY ÚTILES

Cuando germina una semilla, la raíz y el vástago se desarrollan a la par. Pero también pueden originarse raíces en el tallo o en las hojas de una planta adulta con fines ventajosos. Estas raíces, llamadas adventicias, pueden formar parte del desarrollo de una planta, como ocurre con los estolones de la fresera o los garfios de la hiedra, pero también se pueden provocar artificialmente para multiplicar plantas mediante esquejes.

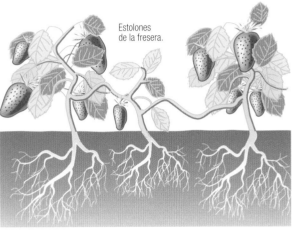

Estolones de la fresera.

La **higuera de las pagodas** emite **raíces aéreas** que se fijan al suelo y constituyen auténticos "zancos" que sostienen grandes ramas horizontales.

Así como hay tubérculos de porciones de tallos, como las patatas, también hay **tubérculos radicales**, como las chufas con las que se prepara la horchata de chufa.

TIPOS DE RAÍCES

Cuando de una raíz principal que se desarrolla en profundidad surgen raíces secundarias menos desarrolladas, se tiene una **raíz axonomorfa**. Cuando en un sistema radical no se diferencian la raíz principal y las secundarias, se forma una **raíz fasciculada**. También hay raíces especializadas en almacenar sustancias alimenticias, como las **raíces napiformes** de la remolacha, la zanahoria y el rábano, así como **raíces aéreas** con diferentes fines (apoyo, respiración, etc.).

TIPOS DE RAÍCES

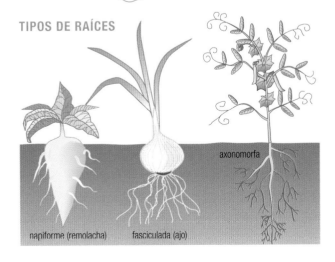

napiforme (remolacha)   fasciculada (ajo)   axonomorfa

Los mangles son plantas características de las regiones litorales de la zona tropical conocidas como manglares. Las raíces de los mangles, que discurren por el fango, emiten ramificaciones ascendentes que emergen del agua como si fueran tubos para bucear. Se trata de raíces respiratorias.

Introducción

Anatomía vegetal

Fisiología vegetal

Reproducción

Flor, fruto y semilla

Ecología y evolución

Las algas

Los hongos

Las plantas

Plantas con flores y frutos

Las plantas y su ambiente

Las plantas acuáticas

Las plantas silvestres

Las plantas domesticadas

El jardín

Índice alfabético de materias

LA FOTOSÍNTESIS

En la naturaleza hay dos tipos de seres básicamente diferentes: unos que se fabrican por sí mismos el alimento y otros que se alimentan de otros organismos, vivos o muertos. Los primeros son los vegetales, las algas y determinadas bacterias; los segundos son los hongos, la mayoría de las bacterias y todos los animales junto con los protozoos. Los organismos que se alimentan por sí mismos son aquellos que realizan la fotosíntesis, es decir, que sintetizan materia orgánica a partir de materia mineral utilizando la energía lumínica del Sol.

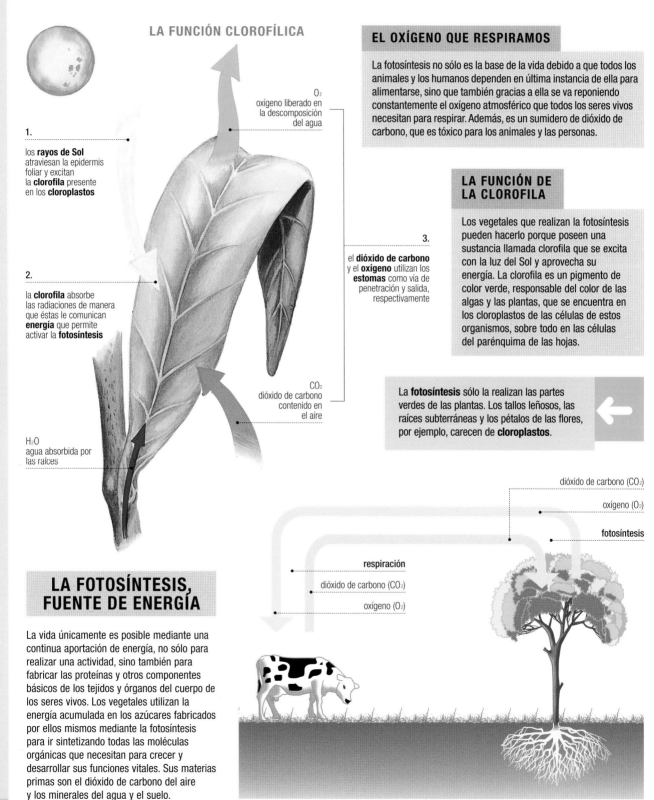

LA FUNCIÓN CLOROFÍLICA

O_2
oxígeno liberado en la descomposición del agua

1.

los **rayos de Sol** atraviesan la epidermis foliar y excitan la **clorofila** presente en los **cloroplastos**

2.

la **clorofila** absorbe las radiaciones de manera que éstas le comunican **energía** que permite activar la **fotosíntesis**

3.

el **dióxido de carbono** y el **oxígeno** utilizan los **estomas** como vía de penetración y salida, respectivamente

CO_2
dióxido de carbono contenido en el aire

H_2O
agua absorbida por las raíces

EL OXÍGENO QUE RESPIRAMOS

La fotosíntesis no sólo es la base de la vida debido a que todos los animales y los humanos dependen en última instancia de ella para alimentarse, sino que también gracias a ella se va reponiendo constantemente el oxígeno atmosférico que todos los seres vivos necesitan para respirar. Además, es un sumidero de dióxido de carbono, que es tóxico para los animales y las personas.

LA FUNCIÓN DE LA CLOROFILA

Los vegetales que realizan la fotosíntesis pueden hacerlo porque poseen una sustancia llamada clorofila que se excita con la luz del Sol y aprovecha su energía. La clorofila es un pigmento de color verde, responsable del color de las algas y las plantas, que se encuentra en los cloroplastos de las células de estos organismos, sobre todo en las células del parénquima de las hojas.

La **fotosíntesis** sólo la realizan las partes verdes de las plantas. Los tallos leñosos, las raíces subterráneas y los pétalos de las flores, por ejemplo, carecen de **cloroplastos**.

dióxido de carbono (CO_2)

oxígeno (O_2)

fotosíntesis

respiración

dióxido de carbono (CO_2)

oxígeno (O_2)

LA FOTOSÍNTESIS, FUENTE DE ENERGÍA

La vida únicamente es posible mediante una continua aportación de energía, no sólo para realizar una actividad, sino también para fabricar las proteínas y otros componentes básicos de los tejidos y órganos del cuerpo de los seres vivos. Los vegetales utilizan la energía acumulada en los azúcares fabricados por ellos mismos mediante la fotosíntesis para ir sintetizando todas las moléculas orgánicas que necesitan para crecer y desarrollar sus funciones vitales. Sus materias primas son el dióxido de carbono del aire y los minerales del agua y el suelo.

LA UNIDAD BÁSICA DE LA FOTOSÍNTESIS

El **cloroplasto** tiene su interior lleno de unas diminutas vesículas llamadas **tilacoides**, que son las unidades básicas de fotosíntesis ya que la **clorofila** se localiza dentro de sus membranas. Los tilacoides están agrupados en **granas**. Cada grana contiene numerosos tilacoides apilados.

ASPECTO PROGRESIVAMENTE AUMENTADO DE LOS CLOROPLASTOS

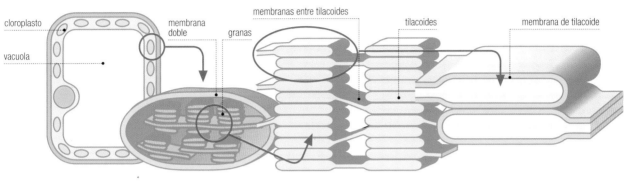

cloroplasto

vacuola

membrana doble

granas

membranas entre tilacoides

tilacoides

membrana de tilacoide

las células de las plantas verdes...

...contienen cloroplastos formados por granas

cada grana ofrece el aspecto de una pila de pelotas pinchadas y colocadas en perfecto orden, que son los tilacoides

los tilacoides de granas vecinos están interconectados por membranas

AHORRAR CLOROFILA

Habrás observado que en otoño muchos árboles se vuelven amarillos o rojizos antes de perder la hoja. Esto es debido a que los cloroplastos, además de clorofila, contienen otros **pigmentos fotosintéticos accesorios**. Las plantas que pierden las hojas en otoño exhiben estos pigmentos antes de que llegue el invierno porque retiran la clorofila de sus hojas y la almacenan en sus tejidos permanentes antes de perderlas, dejando en ellas únicamente los pigmentos accesorios de bellas tonalidades rojizas. En primavera echan mano de la clorofila almacenada.

La fotosíntesis se intensifica a medida que aumentan la concentración de dióxido de carbono en el aire, la temperatura (hasta un cierto punto) y la intensidad de la luz. A oscuras no hay fotosíntesis.

La hierba y el árbol crecen a costa del dióxido de carbono del aire y el agua, y los minerales del suelo, con la ayuda del Sol.

OTOÑO

PRIMAVERA

Al igual que los animales, los vegetales también respiran: absorben el oxígeno atmosférico y desprenden dióxido de carbono. Pero la actividad fotosintética es muy superior a la respiratoria.

LA NUTRICIÓN DE LOS VEGETALES

Los azúcares fotosintetizados ya contienen tres elementos básicos de la materia viva: carbono, oxígeno e hidrógeno. Pero, para formar sus tejidos y órganos, los vegetales también necesitan otros elementos que deben absorber, bien sea directamente del agua (algas), bien sea a través de las raíces. Los hongos practican otro tipo de nutrición: absorben materiales orgánicos en disolución a través de sus membranas.

CÓMO SE NUTREN LAS PLANTAS

Las plantas terrestres se nutren absorbiendo agua con sales minerales disueltas **(savia bruta)** a través de los pelos radicales y bombeándola hacia las hojas, donde se fabrican todos los compuestos orgánicos que la planta necesita para crecer y reproducirse. El líquido que contiene estos compuestos, junto con los fabricados mediante fotosíntesis, constituye la **savia elaborada**, que es distribuida por toda la planta.

Muchos de los problemas agrícolas del mundo tienen su origen en los suelos deficientes en nitrógeno.

EL MECANISMO DE ABSORCIÓN Y DE TRANSPIRACIÓN

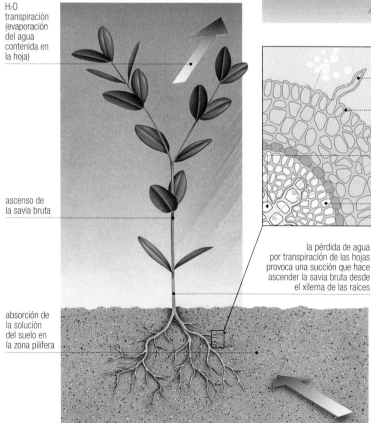

H₂O transpiración (evaporación del agua contenida en la hoja)

ascenso de la savia bruta

absorción de la solución del suelo en la zona pilífera

la pérdida de agua por transpiración de las hojas provoca una succión que hace ascender la savia bruta desde el xilema de las raíces

CICLO DE ALIMENTACIÓN DE LAS PLANTAS

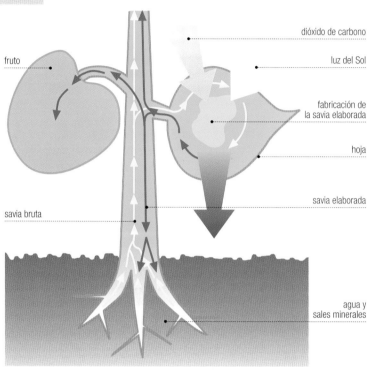

fruto

dióxido de carbono

luz del Sol

fabricación de la savia elaborada

hoja

savia elaborada

savia bruta

agua y sales minerales

pelo radical

epidermis

xilema

floema

Cuando hay deficiencia de un nutriente, éste limita el crecimiento de la planta, aunque haya exceso de todos los demás nutrientes.

CAPTACIÓN Y TRANSPORTE DE LAS SALES MINERALES

Las sales minerales del suelo sólo pueden ser absorbidas por la planta disueltas en agua, ya que las membranas de las células de las raíces no pueden ser atravesadas por partículas sólidas. La solución atraviesa la epidermis y la corteza pasando de una célula a otra y también a través de las paredes de las células sin penetrar en ellas. De esta manera llega hasta el xilema e inicia el ascenso por las raíces y continúa tallo arriba.

NECESIDADES NUTRITIVAS DE LA PLANTA

Entre todos los elementos que una planta absorbe del suelo, unos pocos son necesarios para todas las plantas y en cantidades relativamente grandes. Esto es así porque entran en la composición de las unidades básicas que forman los tejidos, órganos y sustancias importantes de la planta, o bien porque ésta los utiliza mucho para su buen funcionamiento. Otros nutrientes son igualmente necesarios, pero en cantidades muy pequeñas.

NUTRIENTES NECESARIOS PARA TODAS LAS PLANTAS (CON SU SÍMBOLO QUÍMICO)

Elementos necesarios en cantidades notables y presentes en todos los tejidos y órganos	Carbono (C) (del dióxido de carbono del aire)	Constituyente fundamental de todas las moléculas orgánicas
	Oxígeno (O)	Asociado con el C o el H en las moléculas orgánicas
	Hidrógeno (H)	Asociado con el C o el O en las moléculas orgánicas
	Nitrógeno (N)	Constituyente básico de las proteínas de todos los seres vivos
Elementos necesarios en cantidades notables	Potasio (K)	Imprescindible para el buen funcionamiento de la planta
	Fósforo (P)	Imprescindible para el buen funcionamiento de la planta y componente indispensable de los cromosomas
	Azufre (S)	Componente esencial de las proteínas
	Calcio (Ca)	Componente importante de las paredes celulares
	Magnesio (Mg)	Componente esencial de la clorofila
	Hierro (Fe)	Componente esencial de la clorofila
Elementos necesarios en cantidades muy pequeñas	Boro (B)	Imprescindible para el funcionamiento de la planta
	Cinc (Zn)	Imprescindible para el funcionamiento de la planta
	Manganeso (Mn)	Imprescindible para el funcionamiento de la planta
	Cloro (Cl)	Imprescindible para el funcionamiento de la planta
	Molibdeno (Mo)	Imprescindible para el funcionamiento de la planta
	Cobre (Cu)	Imprescindible para el funcionamiento de la planta

Los fertilizantes mejoran las propiedades físicas, químicas y biológicas del suelo cultivable, favoreciendo la nutrición de los vegetales.

¿QUÉ SON LOS FERTILIZANTES?

Un fertilizante es un nutriente o mezcla de nutrientes que se aplica al suelo para compensar su escasez. El fertilizante debe ser inorgánico para que pueda ser utilizado por la planta. Pero también se puede incorporar en forma orgánica (humus, estiércol) para que la planta lo vaya utilizando a medida que se descompone y mineraliza.

Las lombrices se alimentan de restos vegetales, descomponiéndolos en su tubo digestivo.

EL CICLO DEL NITRÓGENO

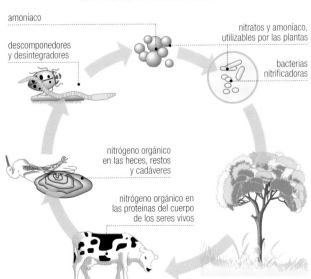

amoníaco

descomponedores y desintegradores

nitratos y amoníaco, utilizables por las plantas

bacterias nitrificadoras

nitrógeno orgánico en las heces, restos y cadáveres

nitrógeno orgánico en las proteínas del cuerpo de los seres vivos

MINERALIZACIÓN DE LA MATERIA ORGÁNICA DEL SUELO

La materia orgánica del suelo, el **humus**, está formada por restos de vegetales y animales parcialmente descompuestos. Este humus es especialmente rico en elementos necesarios para las plantas, como S y Ca, pero sobre todo en nitrógeno. Sin embargo, éste debe ser previamente convertido en nitrógeno mineral, bajo forma de **nitratos** o **amoníaco** para que pueda ser utilizado por las plantas.

LOS ALIADOS DE LAS PLANTAS

El nitrógeno en forma asimilable por las plantas es un bien escaso en la mayoría de los suelos. Pero las plantas tienen unos aliados que convierten el nitrógeno orgánico en nitratos y amoníaco. Son los devoradores de restos orgánicos (**detritófagos**), como la lombriz de tierra o el milpiés, y una multitud de microorganismos **desintegradores** (hongos y bacterias) y **bacterias nitrificadoras**.

CRECIMIENTO Y DESARROLLO

En el proceso de desarrollo de todo ser vivo, el fenómeno fundamental es el crecimiento de cada célula. Pero este crecimiento tiene un límite. Los vegetales pluricelulares se desarrollan a partir de una célula reproductora femenina fecundada, llamada **cigoto**, que se va dividiendo sucesivamente. La mayoría de las células hijas se van dilatando y diferenciando para formar tejidos y órganos que hacen crecer al individuo; pero siempre quedan unas pocas células en los llamados **puntos vegetativos**, que no pierden nunca su capacidad para formar nuevas partes de la planta.

EL CRECIMIENTO DE LAS ALGAS

Las algas pluricelulares aumentan de tamaño mediante dos tipos básicos de crecimiento: el **crecimiento generalizado**, donde todas las células tienen la capacidad de dividirse, y el **crecimiento localizado**, en el cual la división celular está restringida a ciertas partes del alga. En el segundo caso, puede tratarse de **crecimiento apical** o de **crecimiento intercalar**.

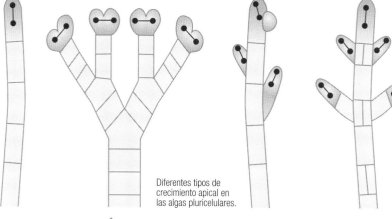

Diferentes tipos de crecimiento apical en las algas pluricelulares.

CRECIMIENTO INTERCALAR EN UN ALGA PARDA

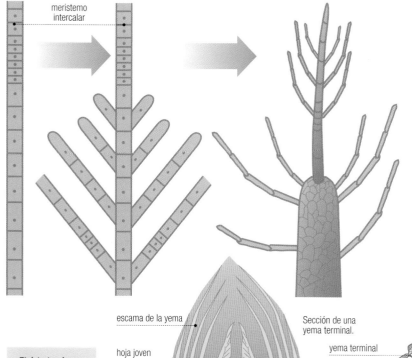

meristemo intercalar

escama de la yema

hoja joven

meristemo apical

Sección de una yema terminal.

El árbol más viejo que se conoce es una conífera a la que se le ha puesto el nombre de Matusalén. Vive en Estados Unidos y tiene 4.725 años.

LA YEMA

Las plantas terrestres crecen en longitud **(crecimiento apical)** por alargamiento de los ápices de tallos, ramas y raíces. En la parte aérea de la planta, este crecimiento suele producirse en las yemas. Una **yema foliar** es un brote inmaduro, es decir, el extremo joven de un futuro vástago que todavía no ha terminado de desarrollarse.

La yema que se halla en el extremo del vástago en crecimiento se llama **yema terminal**. Las yemas que aparecen en las axilas de las hojas se llaman **yemas axilares**. También hay yemas florales o botones, que en lugar de nuevos brotes con hojas originan flores, y **yemas mixtas**, que producen una rama con hojas y flores a la vez.

yema terminal

botón (yema floral)

yema axilar

La yema foliar es de forma cónica, más consistente y con las escamas más apretadas. Las yemas florales son más gruesas, redondeadas y elásticas que las foliares.

yema durmiente

DOMINANCIA APICAL

Mientras el **meristemo apical** del tallo se encuentra intacto, las yemas laterales suelen permanecer más o menos "dormidas" y, por tanto, la **ramificación lateral** tiende a ser suprimida a favor del **crecimiento apical**. Este fenómeno, llamado dominancia apical, es el motivo por el que muchas plantas se llenan de ramas cuando se les podan las puntas.

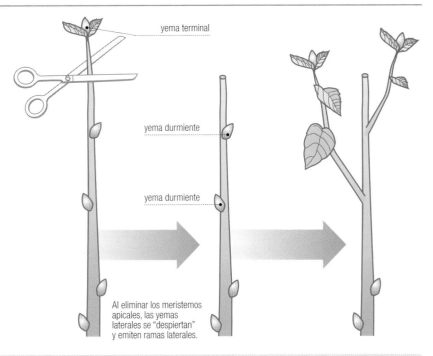

yema terminal

yema durmiente

yema durmiente

Al eliminar los meristemos apicales, las yemas laterales se "despiertan" y emiten ramas laterales.

El desarrollo de todas las yemas significaría para la planta un despilfarro. Las **yemas durmientes** de la base de las ramas sólo brotan si la rama se quiebra o muere de vejez.

LOS ANILLOS DE CRECIMIENTO

Las plantas más complejas también crecen en grosor. En las regiones con estaciones marcadas, esto permite saber la edad de un árbol observando un corte transversal del tronco. El **crecimiento anual** queda materializado en los anillos formados por las sucesivas capas de madera. Cada año se forma, a partir del **cámbium**, una capa de leño (xilema) hacia el interior y otra de líber (floema) hacia el exterior. Los **anillos de leño** se distinguen porque los vasos formados en verano, al ser más pequeños y apretados, forman un círculo estrecho y oscuro, mientras que los de primavera aparecen de color más claro.

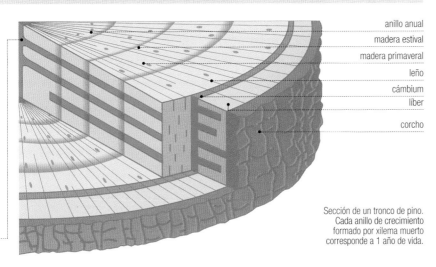

anillo anual

madera estival

madera primaveral

leño

cámbium

líber

corcho

médula

Sección de un tronco de pino. Cada anillo de crecimiento formado por xilema muerto corresponde a 1 año de vida.

¿CUÁNTOS AÑOS VIVE UNA PLANTA?

La duración de la vida de las plantas varía según la especie. Las **plantas anuales** nacen, crecen, florecen, producen semillas y mueren en menos de un año. Las **plantas** bianuales viven dos años. Las **plantas perennes** o **vivaces** viven varios años (algunas, muchos) y pueden florecer todos los años.

La parte de una planta perenne que envejece de manera más manifiesta es la hoja. Incluso en las plantas siempre verdes hay una caída constante de hojas.

PERSPECTIVA DE VIDA DE ALGUNAS PLANTAS PERENNES

Planta	Años que puede vivir
Arándano	28
Álamo	500
Olmo	600
Tilo	1.000
Roble	1.000
Tejo	3.000
Secuoya gigante	5.000

La cebolla es bianual: acumula reservas en su bulbo en el primer año en previsión a su floración al año siguiente, y después muere.

El arándano es una planta perenne.

La amapola es una planta anual.

REPRODUCCIÓN Y HERENCIA

Lo esencial de la **reproducción** es la formación de una nueva generación de descendientes parecidos a los miembros de la generación progenitora. Esto exige la transmisión, a través de los **genes**, de los rasgos y caracteres de los padres a los hijos, lo cual ha recibido el nombre de **herencia**. La ciencia que estudia la estructura, transmisión y expresión de los genes es la **genética**.

LOS CROMOSOMAS Y LOS GENES

Los cromosomas son largos filamentos de **ADN** (ácido desoxirribonucleico) y otras proteínas. Los genes vienen a ser pequeños segmentos de ADN que codifican un tipo de **información biológica** y en conjunto hacen que los individuos se parezcan a sus progenitores. Cada individuo de una especie dada contiene un número característico de cromosomas en cada una de las células de su cuerpo. Pero los cromosomas se presentan normalmente en pares, de manera que hay dos cromosomas de cada tipo **(cromosomas homólogos)**, que son portadores de información correspondiente a los mismos rasgos, aunque no necesariamente la misma información.

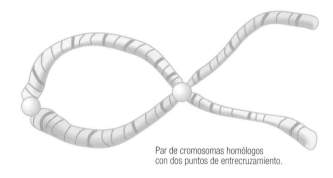

Par de cromosomas homólogos con dos puntos de entrecruzamiento.

Cada uno de los caracteres de una planta como la judía está determinado por un gen, ya sea la forma de sus hojas, el color de las flores, el tipo de fruto o la temperatura mínima que necesitan sus semillas para germinar.

 Cada cromosoma está compuesto de ADN, donde se localizan los genes. Cada cromosoma puede tener cientos o hasta miles de genes.

DIFERENTES FORMAS DE REPRODUCIRSE

Para generar nuevos individuos, los vegetales pueden utilizar dos tipos de reproducción:
• **asexual:** células, grupos de células o fragmentos con capacidad germinativa se desprenden de la planta madre, germinan directamente y dan origen a nuevos seres independientes;

• **sexual:** se producen células germinales especializadas de dos clases, femeninas y masculinas, llamadas **gametos**, sea en un mismo individuo o en individuos diferentes. El nuevo ser se origina mediante la fusión de un gameto masculino **(espermatozoide)** con otro femenino **(óvulo)**, es decir, la fecundación.

FASES DE LA REPRODUCCIÓN SEXUAL

Producción de gametos

célula del progenitor con dos juegos de cromosomas (2n cromosomas)

división con redistribución y entrecruzamiento de los cromosomas

formación de 4 gametos con un solo juego de cromosomas (n) cada uno

Fusión de gametos

gameto masculino (n) x gameto femenino (n) → cigoto (2n) con genes paternos y maternos

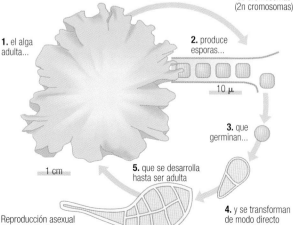

1. el alga adulta...

2. produce esporas...

10 μ

3. que germinan...

5. que se desarrolla hasta ser adulta

1 cm

4. y se transforman de modo directo en una plántula...

Reproducción asexual del alga roja *Porphyra*.

INGENIERÍA GENÉTICA

La ingeniería genética es un conjunto de técnicas de laboratorio que permiten manipular el ADN, o sea los genes, de un ser vivo, e incluso introducir nuevos genes en sus cromosomas y producir **transgénicos**. El maíz y el arroz son las plantas sobre las que se han obtenido más variedades transgénicas. En una de ellas, el arroz dorado, se han introducido genes que hacen aumentar su contenido en provitamina A.

Mazorca de maíz.

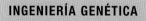

USAR LOS DOS TIPOS DE REPRODUCCIÓN

La mayor parte de los vegetales utilizan los dos tipos de reproducción, de manera que una generación de reproducción asexual por **esporas**, llamada **esporófito**, alterna con una generación sexuada que se reproduce por **gametos**, llamada **gametófito**. Ambas generaciones suelen estar representadas por individuos completamente diferentes en su aspecto, pero no siempre independientes. Hay muchas modalidades de **alternancia de generaciones**.

En el ciclo vital de las plantas con semillas predomina totalmente el esporófito, que es la planta que vemos. Los gametófitos están muy reducidos y permanecen invisibles dentro de la flor: el productor de gametos masculinos, dentro del **grano de polen**; el femenino, dentro del **saco embrional**. Tras la fusión de los gametos, se forma la **semilla**, que es el origen del esporófito.

ALTERNANCIA DE GENERACIONES EN LAS PLANTAS CON SEMILLAS

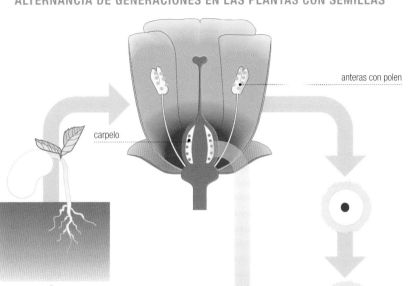

anteras con polen

carpelo

polinización

embrión

semilla

fecundación

Anatomía vegetal

Fisiología vegetal

Reproducción

Flor, fruto y semilla

Ecología y evolución

Las algas

Los hongos

Las plantas

Plantas con flores y frutos

Las plantas y su ambiente

Las plantas acuáticas

Las plantas silvestres

Las plantas domesticadas

El jardín

Índice alfabético de materias

EL EXPERIMENTO DE MENDEL
(T: gen alto; t: gen enano)

TT   **tt**

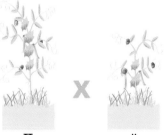

híbridos de primera generación   **Tt**

TT   **Tt**   **tT**   **tt**

el gen alto era dominante sobre el enano

Los individuos de una generación presentan diferencias entre sí y respecto a sus progenitores llamadas **variaciones**. Las variaciones debidas a efectos de los factores ambientales en el desarrollo del organismo no son hereditarias. Sólo se heredan las variaciones de origen genético.

LA HERENCIA Y SUS LEYES

Las leyes que rigen la transmisión de los caracteres hereditarios fueron descubiertas por primera vez por Gregor Mendel (1822-1884). En una de sus pruebas cruzó una planta de guisante de tipo alto con otra de tipo bajo, y todas las plantas hijas salieron altas. Pero al cruzar éstas, la siguiente generación incluía plantas altas y enanas en una proporción de 3 a 1.

LA REPRODUCCIÓN ASEXUAL

En la naturaleza, los vegetales se multiplican asexualmente de tal manera que un solo progenitor se parte, forma yemas o se fragmenta para dar origen a dos o más descendientes, o bien produce esporas que germinan directamente.

En todos los casos, es un proceso rápido, que permite a los individuos bien adaptados a su ambiente producir nuevas generaciones de individuos igualmente adaptados, ya que poseen genes idénticos.

LA MULTIPLICACIÓN MÁS SIMPLE Y RÁPIDA

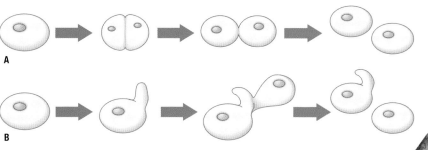

A

B

Muchas algas unicelulares se reproducen por simple **división**, es decir, por partición en dos **(bipartición)** de su célula y separación de las células hijas resultantes. Las **levaduras** adoptan una variante de este sistema, llamada **gemación**: la célula forma una especie de yema parecida a una verruga, que va creciendo hasta que se desprende de la madre y se hace independiente.

Multiplicación por bipartición (A) y por gemación (B).

En un día, un organismo unicelular que se multiplique por **bipartición** o por **gemación** puede producir varios millones de descendientes.

FRAGMENTACIÓN

Muchos vegetales pluricelulares se multiplican sin desarrollar órganos reproductores especializados. De manera espontánea, o a consecuencia de una influencia exterior mecánica, se separan partes de su cuerpo que dan lugar a nuevos individuos.

¿POR QUÉ EL PAN ES ESPONJOSO?

Si observas el pan que comemos, verás que una de sus buenas cualidades es ser esponjoso. Esta cualidad se debe a la **levadura** que le añaden a la masa varias horas antes de introducirla en el horno. Esta levadura es un cultivo de un tipo de **hongos unicelulares** que se reproducen por **gemación** a velocidades sorprendentes. Ellos hacen **fermentar** la masa, producen un desprendimiento de gas carbónico, hacen aumentar el volumen de la pasta y favorecen su esponjamiento.

El pan es esponjoso gracias a la levadura.

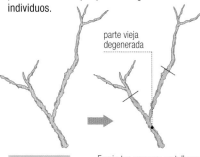

parte vieja degenerada

En ciertos musgos, un tallo se ramifica y, al degenerar sus partes más viejas, varias ramas se independizan.

La fabricación de **cerveza** es otro ejemplo de la rapidez de la **multiplicación por gemación**. A la **cebada germinada** se le añade una **levadura** similar a la del pan para que se produzca la fermentación que da por resultado la cerveza.

CANASTILLAS DE PROPÁGULOS

Algunas plantas inferiores, como las **hepáticas**, producen unas cestillas en la cara superior del talo que contienen grupos de células germinales llamadas **propágulos**.

Cuando llueve, las gotas de agua que caen sobre estas canastillas desprenden y transportan estos propágulos, que se convierten en nuevas plantas.

LA CANASTILLA DE PROPÁGULOS

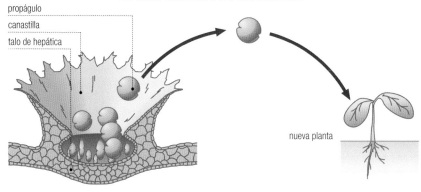

propágulo

canastilla

talo de hepática

nueva planta

PLANTAS QUE DESPRENDEN HIJOS

Ciertas plantas producen **yemas** especiales, bien en sus tallos o en sus hojas, que vienen a ser pequeñas plantitas ya provistas de una raíz incipiente. Estas yemas, llamadas **bulbilos**, empiezan a desarrollarse sobre la misma planta madre y cuando caen al suelo ya son capaces de vivir como plantas independientes. También existen plantas que acumulan bulbilos en sus raíces.

Bulbilos en las sinuosidades del borde de una hoja.

bulbilos axilares

UN PARÁSITO ESPABILADO

El hongo que parasita la vid causándole la enfermedad llamada **mildiu** se reproduce por **esporas móviles**, adaptadas a la vida acuática. Sin embargo, se desarrolla en un ambiente seco. ¿Cómo lo consigue? Sus esporas aprovechan las gotas del rocío matinal para germinar y desarrollarse.

Las cabezas de ajos que usamos en la cocina están formadas por bulbilos, que son los llamados dientes del ajo. El cultivo de ajos se hace plantando estos dientes.

Bulbilos axilares de la *Dentaria*.

LAS ESPORAS

La forma de reproducción asexual más frecuente entre los vegetales es la **esporulación**, que consiste en la producción de células especiales llamadas **esporas** por sucesivas divisiones dentro de una célula madre llamada **esporangio**. Hay **esporas móviles** o **planosporas** e **inmóviles** o **aplanosporas**. Las primeras son propias de vegetales de vida acuática, mientras que las segundas están destinadas a la multiplicación fuera del elemento líquido.

Diferentes tipos de esporas móviles o planosporas. Hay planosporas con uno o varios flagelos, lisos o con barbas, orientados al frente u opuestos.

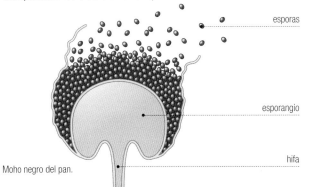

esporas

esporangio

hifa

Moho negro del pan.

LO QUE VEMOS SON LOS ESPORANGIOS

Más de una vez habrás visto frutas, pan u otros alimentos cubiertos de una pelusilla de color blanco, verde o negro. Esta pelusilla son los **esporangios** del hongo que ha invadido el alimento con sus filamentos o **hifas**. Estos esporangios están llenos de **esporas** inmóviles, que son dispersadas por el viento cuando aquéllos se abren. El color negro del moho del pan, por ejemplo, se debe al color de las esporas contenidas en los esporangios, que es lo que vemos.

LA REPRODUCCIÓN ASEXUAL ARTIFICIAL

Tanto los agricultores como los investigadores científicos se sirven a menudo de la capacidad de regeneración de los vegetales para multiplicarlos. De esta manera consiguen propagar variedades que no se pueden reproducir por vía sexual, así como producir descendientes de características idénticas a las de un determinado individuo, cosa que no ocurriría mediante reproducción sexual.

PRIMERO ENRAIZAR, LUEGO DESTETAR

Los agricultores han utilizado siempre de forma artificial la capacidad de enraizamiento de brotes aéreos para obtener plantas mediante el **acodo**. Se puede hacer de muchas maneras, pero en esencia consiste en enterrar una parte de una rama joven, doblándola si es preciso, y así obligarla a que saque raíces sin separarla de la madre. Una vez emitidas las raíces, el brote ya puede nutrirse por sí mismo y entonces se "desteta", es decir, se separa de la planta madre.

DISTINTOS TIPOS DE ACODOS

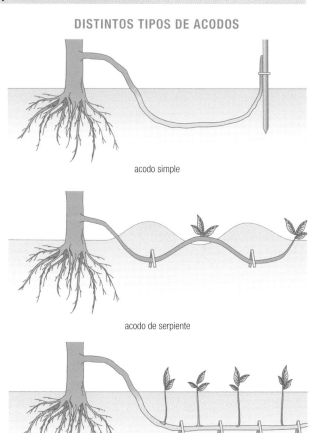

acodo simple

acodo de serpiente

acodo chino

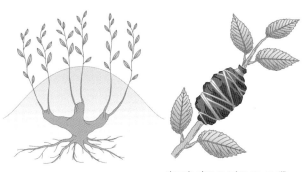

acodo de aporcado

el acodo aéreo se cubre con mantillo, que se ata para que no se desprenda, y se envuelve en un plástico para mantener la humedad

Multiplicación por vástagos. Las plantas que emiten vástagos en su base también pueden propagarse arrancando éstos con un poco de raíz y plantándolos.

El miniinvernadero es un elemento básico para el éxito de los esquejes, ya que el enraizamiento necesita calor y humedad.

PROPAGACIÓN POR ESQUEJES

El **esquejado** consiste en reproducir una planta a partir de un fragmento de tallo, hoja o raíz extraído de la misma. Es una técnica muy utilizada porque permite producir un gran número de hijos de una forma muy sencilla y barata. El fragmento de tallo debe tener yemas, y la parte que se entierra se espolvorea con hormonas vegetales de crecimiento para favorecer el enraizamiento.

LA MISTERIOSA AGUA DE COCO Y LAS HORMONAS

La sabrosa agua que hay dentro de los cocos maduros era utilizada en el cultivo de células vegetales, aunque las causas de sus efectos positivos eran desconocidas. Más tarde se descubrió que contenía una de las **hormonas del crecimiento** de las plantas. Actualmente puedes comprar estas hormonas en las tiendas de jardinería. Aplícalas en el extremo de los esquejes que va enterrado y tienes el éxito casi asegurado.

Esqueje en agua.

Las begonias se multiplican fácilmente utilizando la hoja como esqueje.

EL INJERTO

El injerto consiste en insertar en una planta enraizada un fragmento con yemas de otra planta a fin de conseguir la **soldadura** de los tejidos de ambas. La planta sobre la que se opera se llama **patrón** (o **portainjerto**) y la parte insertada, **injerto**. Si se consigue la soldadura, se ponen en comunicación los vasos **conductores** del injerto con los del patrón, de manera que éste proporcionará al injerto el alimento necesario para su crecimiento.

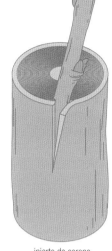

injerto   portainjerto (o patrón)   injerto de corona

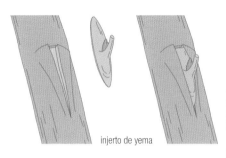

injerto de yema

injerto inglés

Tipos de injerto. Sea cual sea la técnica utilizada, la finalidad es siempre la misma: obtener un ejemplar con las raíces del portainjerto y la parte aérea idéntica a la planta de donde se ha extraído el injerto.

Originariamente, todas las naranjas tenían semillas en su interior.

Si quieres practicar el injerto, debes tener en cuenta que sólo se sueldan plantas que guardan un estrecho parentesco entre sí, como el naranjo y el limonero, o el almendro y el melocotonero.

LA MADRE DE TODAS LAS NARANJAS SIN SEMILLA

Todas las naranjas sin semilla del mundo son de árboles que derivan de un naranjo original que surgió de forma espontánea en una huerta brasileña en el siglo XIX. La originalidad de aquel naranjo era debida a una alteración genética no controlada por el hortelano. El naranjo fue injertado en otras variedades de cítricos y así hoy tenemos naranjas sin semillas.

LA REPRODUCCIÓN DE LABORATORIO

La técnica de propagación más moderna consiste en el **cultivo en laboratorio** de **meristemos** y **ápices de yemas**, lo que se conoce por **micropropagación**. En un medio de cultivo propicio y con cantidades adecuadas de hormonas vegetales, pronto se diferencian raíces y brotes a partir del tejido inicial no diferenciado. Es un proceso muy rápido, que ocupa muy poco espacio, con el que se consiguen fácilmente miles de **individuos clónicos** a precios muy baratos y, sobre todo, libres de virus y hongos que causan enfermedades a las plantas.

LAS VENTAJAS DE OBTENER INDIVIDUOS CLÓNICOS

Si tuvieras un huerto con **fresas** y vieras que una fresera crece más sana y produce mejores frutos que las demás, desearías conseguir **descendientes clónicos** de aquella planta; es decir, freseras genéticamente idénticas a tu favorita. Eso es lo que hacen los buenos cultivadores de fresas que quieren asegurar la calidad de su producción: aunque la plantación les resulte más cara, compran freseras producidas por **micropropagación**.

El trabajo de laboratorio permite obtener ejemplares de idénticas características a precio muy bajo y resistentes a las enfermedades. En la fotografía, invernadero experimental tailandés de orquídeas.

LA FLOR

La flor es un conjunto de estructuras especializadas en la **reproducción sexual**. En la mayoría de las flores se distinguen cuatro partes llamadas **verticilos**: el **cáliz**, la **corola**, el **androceo** y el **gineceo**. Estos dos últimos son los órganos reproductores, mientras que el cáliz y la corola tienen la función de proteger estos órganos y atraer a aquellos insectos que puedan facilitar la reproducción.

EL CÁLIZ Y LA COROLA

Lo más vistoso de una flor suele ser la **corola**, formada por hojas transformadas en **pétalos** de vivos colores. La corola se halla rodeada de unas hojas más pequeñas llamadas **sépalos**, que en conjunto forman el **cáliz** y en algunas flores están soldadas formando una sola pieza. Antes de desarrollarse la flor, la **yema floral** (el capullo) está cubierta y protegida por el cáliz.

LA ESTRATEGIA DE LOS COLORES Y EL AZÚCAR

Si observas con una lupa el interior de una **violeta**, descubrirás los **nectarios** que contienen el **néctar** azucarado que tanto gusta a las abejas y otros **insectos polinizadores**. Pero ¿cómo descubren estos insectos algo tan oculto? La flor se encarga de ayudarles a aprender dónde se localiza el néctar, guiándolos con sus contrastes de colores encendidos hacia los nectarios. Ten en cuenta que, además, las abejas ven colores que nosotros no vemos.

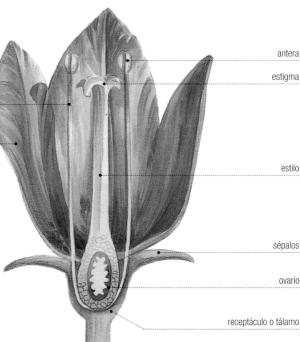

- antera
- estigma
- estilo
- sépalos
- ovario
- receptáculo o tálamo
- estambres
- pétalos

Diferentes tipos de estambres.

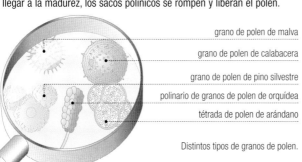

LOS ÓRGANOS MASCULINOS

Los órganos reproductores masculinos de la flor son los **estambres**, que se hallan dentro de la corola y en conjunto forman el **androceo**. Cada estambre consta de un **filamento** que termina en una **antera** formada por dos lóbulos con dos **sacos polínicos** en su interior que contienen los **granos de polen** a los que se debe el color amarillento que vemos en el centro de las flores. Su función es producir **gametos masculinos**. Al llegar a la madurez, los sacos polínicos se rompen y liberan el polen.

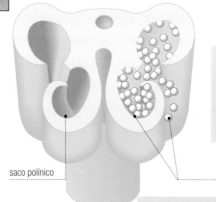

saco polínico

granos de polen

Sección transversal de una antera.

La especia más cara del mundo son los estigmas de la flor del azafrán. ¡Se han de cosechar a mano!

La ciencia que estudia los granos de polen se llama **Palinología**.

- grano de polen de malva
- grano de polen de calabacera
- grano de polen de pino silvestre
- polinario de granos de polen de orquídea
- tétrada de polen de arándano

Distintos tipos de granos de polen.

EL POLEN Y LAS INVESTIGACIONES POLICIALES

Sherlock Holmes ya sabía que no hay dos especies de plantas que tengan los granos de polen iguales. Así que el polen que pueda encontrarse en las ropas de los sospechosos puede dar una pista valiosa sobre el lugar del crimen. Esta característica de los granos de polen también es muy útil para reproducir ambientes prehistóricos, ya que la dureza de la cubierta polínica resiste la fosilización.

EL ÓRGANO REPRODUCTOR FEMENINO

El verticilo más interno de la flor es el **gineceo**, que consta de una o varias hojas plegadas, con sus bordes unidos, llamadas **carpelos**. Casi siempre el gineceo consta de varios carpelos soldados en una sola pieza, que se llama **pistilo** por su parecido con una mano de almirez (en latín *pistillum*). La parte basal abultada es el ovario, que contiene los **óvulos**; el "mango" es el **estilo**, y la "cabeza del mango" es el **estigma**. El estigma suele producir un líquido azucarado y pegajoso al que quedan adheridos los granos de polen.

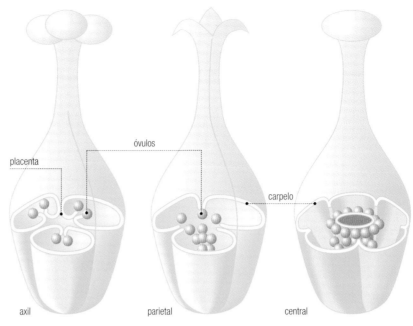

placenta
óvulos
carpelo

axil · parietal · central

Tres tipos diferentes de disposición de los óvulos en el ovario. El **estigma** está especializado en recibir el polen. El **estilo** conduce el polen hasta el ovario. En el **ovario** tiene lugar la fecundación.

EL SEXO DE LA FLOR Y EL SEXO DE LA PLANTA

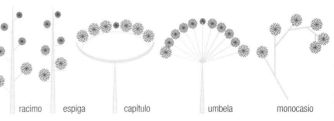

La mayoría de las flores son **hermafroditas**, es decir, tienen estambres y pistilos. Pero hay especies, llamadas **monoicas**, en las que una misma planta tiene flores de dos clases: unas masculinas (sin pistilo) y otras femeninas (sin estambres). Y también hay plantas **dioicas**, es decir, con individuos machos (sólo con flores masculinas) e individuos hembras (sólo con flores femeninas).

→ Las plantas de una especie de aro silvestre cambian de sexo con la edad. Son machos cuando son jóvenes y al envejecer sólo tienen flores con pistilos.

INFLORESCENCIAS

Habrás observado que las flores no suelen estar aisladas, sino formando grupos de aspecto muy variado que reciben el nombre de **inflorescencias**. Aquí aparecen algunas de las más comunes.

flor masculina

Ramilla de castaño con inflorescencias de flores masculinas y con flores femeninas en su base.

flor femenina

DIFERENTES TIPOS DE INFLORESCENCIAS

racimo · espiga · capítulo · umbela · monocasio

corimbo · pleocasio · dicasio

MACHOS Y HEMBRAS ENTRE LAS PLANTAS

Si vas por el bosque y ves plantas de **acebo** cargadas de bellos frutos rojos junto a otras en todo iguales pero sin frutos, es que estás frente a un bonito ejemplo de planta dioica. Los ejemplares sin frutos son machos; sólo tienen flores masculinas. Únicamente las hembras, portadoras de flores femeninas, pueden llevar frutos.

EL FRUTO

Cuando oyes la palabra "fruto" debes pensar en esas frutas dulces y carnosas que solemos comer de postre, como peras, uvas, fresas o melocotones. Pero para un botánico también son frutos las nueces, las vainas de guisantes y judías, los granos de maíz, los pimientos y hasta las llamadas "semillas" aladas de los arces y fresnos de los paseos de ciudades y pueblos. Un **fruto** es el **ovario** de la flor desarrollado, en cuyo interior se encuentran las **semillas**.

¿CÓMO SE FORMA UN FRUTO?

Cuando se produce la **polinización**, seguida de la **fecundación**, los **carpelos** que forman el **ovario** de la flor inician una nueva etapa de desarrollo: crecen, modifican su forma, se endurecen o se vuelven carnosos, y poco a poco se transforman en un fruto maduro. De fuera hacia adentro, casi todos los frutos constan de una capa exterior o **epicarpo** y una interior o **endocarpo**, que rodea la o las semillas. Y muchos tienen, además, una capa intermedia, llamada **mesocarpo**, que suele ser carnoso.

Lo que te comes de un melocotón es el mesocarpo; la semilla es la parte interna (la almendra) del hueso. En cambio de una castaña te comes la semilla.

SECCIÓN DE DIVERSOS FRUTOS CARNOSOS

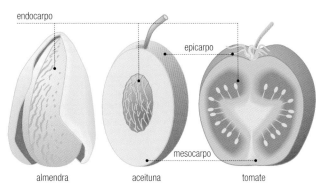

endocarpo · epicarpo · mesocarpo

almendra · aceituna · tomate

Diversas posiciones del ovario en las flores.

FRUTOS SIN SEMILLAS

Te parecerá un contrasentido, pero en algunas plantas la simple polinización del estigma desencadena el desarrollo del fruto sin que haya fecundación. Naturalmente, de esta manera no se pueden formar semillas. La uva sin pepitas y el plátano son ejemplos de un fenómeno que recibe el nombre de **partenocarpia**.

EL PAPEL DEL FRUTO EN LA NATURALEZA

El fruto puede proteger durante un tiempo las semillas que contiene, pero sobre todo es una estructura especializada en la **dispersión de las semillas**. Los **frutos secos** suelen estar adaptados a ser transportados por el viento o por los animales (enganchados en su pelaje o plumaje) y pueden ser **dehiscentes**, si en su madurez se abren para liberar las semillas, o **indehiscentes**, si no se abren nunca y tienen que descomponerse para que sus semillas queden libres. Los **frutos carnosos** son devorados por los animales, y sus semillas viajan en los estómagos de aquéllos para ser expulsados junto con las heces en otro lugar.

¿UN SOLO FRUTO O MUCHOS FRUTOS JUNTOS?

Entre los frutos que conoces, hay unos que proceden de una flor con un solo carpelo. Son los llamados **frutos simples**, como el dátil, el coco y la cereza. Otros, llamados **frutos agregados**, se han originado a partir de una flor con varios pistilos, como la zarzamora y la frambuesa. Por último, las **infrutescencias**, como la piña y el higo, proceden del conjunto de las flores de una inflorescencia.

Al comer los frutos en un punto y liberar las semillas en otros puntos, a veces muy distantes, las aves efectúan un importante papel de difusión.

Las cerezas son frutos simples.

Introducción

Anatomía
vegetal

Fisiología
vegetal

Reproducción

**Flor, fruto
y semilla**

Ecología
y evolución

Las algas

Los hongos

Las plantas

Plantas con
flores y frutos

Las plantas y
su ambiente

Las plantas
acuáticas

Las plantas
silvestres

Las plantas
domesticadas

El jardín

Índice
alfabético
de materias

FRUTOS SECOS

Los **frutos secos dehiscentes** poseen mecanismos especiales para abrirse y dejar salir las semillas, sea a través de una sutura ventral, por la soldadura con los carpelos vecinos, por el nervio medio de los carpelos, etc. Son de este tipo la **legumbre**, la **silicua** y las múltiples variantes de **cápsulas**. En cambio, los **frutos secos indehiscentes** carecen de dichos mecanismos. Si son simples, reciben el nombre genérico de **nueces**. Otros son la **sámara**, el **glande** y el **cariópside**.

FRUTOS SECOS DEHISCENTES

legumbre
de la judía

cápsula de
la amapola

pixidio de
Anagallis

cápsula loculicida

FRUTOS SECOS INDEHISCENTES

aquenio

cariópside
del trigo

glande de
la encina

sámara
del olmo

Las semillas de los albaricoques, melocotones y otros frutos de hueso suelen contener sustancias tóxicas, por lo que no deben comerse. ⬅

FALSOS FRUTOS PERO EXQUISITOS

El verdadero fruto del manzano es el corazón de la manzana que envuelve las semillas o pepitas. El resto de la pulpa de la manzana procede del engrosamiento del tálamo de la flor, que va envolviendo el ovario hasta soldarse con él. La pulpa jugosa y agridulce de la fresa también es el **tálamo** carnoso sobre el que se asientan numerosos y diminutos granitos que son los verdaderos frutos.

FRUTOS CARNOSOS

Los frutos carnosos son indehiscentes y en general tienen un **mesocarpo** grueso y jugoso. El **epicarpo** suele ser delgado (la monda) y el **endocarpo** puede ser leñoso y bastante grueso, como en las drupas, o también es carnoso, como en las **bayas**. La **pepónida** es un fruto con las placentas muy desarrolladas que llegan desde el eje hasta la pared carpelar.

UN FRUTO EXCEPCIONAL

Quizá te extrañe que la parte comestible de uno de los frutos más apreciados en el mundo entero, la naranja, no sea precisamente el mesocarpo, que en este caso es esa capa blanca y esponjosa que arrancas junto con el delgado epicarpo rojizo. Los gajos son el endocarpo membranoso y tapizado de vesículas repletas de jugo.

PARTES DE LA FRESA

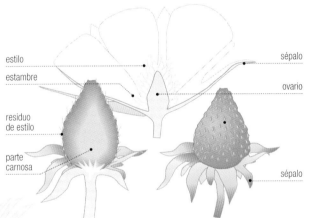

estilo

estambre

residuo
de estilo

parte
carnosa

sépalo

ovario

sépalo

FRUTOS CARNOSOS

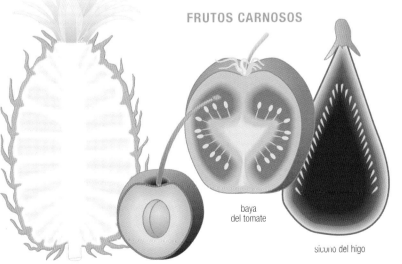

sorosis de la piña

drupa del albaricoque

baya
del tomate

sicono del higo

LA SEMILLA

Puedes imaginarte la semilla como una joven plantita sin desarrollar, viva pero en estado de reposo transitorio, que, provista de una reserva de sustancias nutritivas y rodeada generalmente de una cubierta protectora –y a veces también por un fruto–, está en condiciones de ser diseminada. Cuando la joven plantita empiece a crecer, durante los primeros días se nutrirá de las reservas que la acompañan.

¿CÓMO SE FORMAN LAS SEMILLAS?

No todos los vegetales producen semillas. En los vegetales adaptados a los ambientes terrestres, al final de la fecundación, el **óvulo**, con su **embrión**, se convierte en **semilla**; sus paredes engordan y forman la cubierta externa o **epispermo**, y el embrión queda rodeado de un tejido nutritivo llamado **endospermo**.

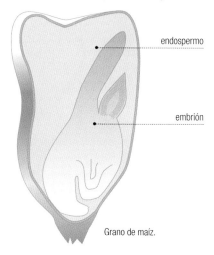

endospermo
epispermo
embrión

Semilla de ricino.

endospermo
embrión

Grano de maíz.

Semilla de judía (los cotiledones carnosos cumplen la función del endospermo).

LAS VENTAJAS DE TENER SEMILLAS

La semilla viene a ser un invento para proteger la joven plantita en sus primeros estadios del desarrollo. Por una parte, el epispermo protege el delicado embrión contra muchos parásitos, la desecación, el exceso de calor o de frío, los daños mecánicos y la acción química de los jugos digestivos de los animales. Por otra, al iniciar su crecimiento, la nueva planta se nutre del endospermo hasta que es capaz de llevar una vida independiente.

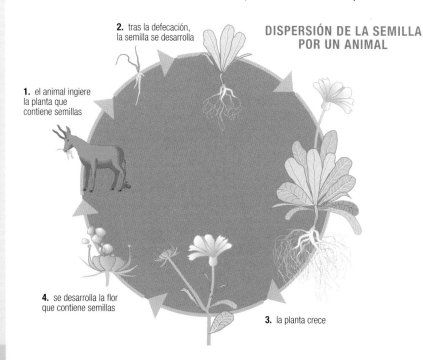

2. tras la defecación, la semilla se desarrolla

DISPERSIÓN DE LA SEMILLA POR UN ANIMAL

1. el animal ingiere la planta que contiene semillas

4. se desarrolla la flor que contiene semillas

3. la planta crece

Espiga de trigo.

LA IMPORTANCIA DEL ENDOSPERMO PARA LA HUMANIDAD

El endospermo no sólo es una reserva nutritiva para el embrión de muchos vegetales, sino también para una gran parte de la humanidad. Los seres humanos cultivan muchas plantas por el valor alimenticio del endospermo de sus semillas. El grano del **trigo** y de otros cereales, por ejemplo, está formado en su mayor parte por el endospermo de la semilla, que en este caso es farináceo.

Introducción

Anatomía
vegetal

Fisiología
vegetal

Reproducción

**Flor, fruto
y semilla**

Ecología
y evolución

Las algas

Los hongos

Las plantas

Plantas con
flores y frutos

Las plantas y
su ambiente

Las plantas
acuáticas

Las plantas
silvestres

Las plantas
domesticadas

El jardín

Índice
alfabético
de materias

DORMIR PARA SOBREVIVIR

¿Qué pasaría si las semillas de una planta del desierto germinaran al caer? Sin duda, las nuevas plantas se secarían en pocos minutos. Pero si estas semillas permanecen en estado de letargo hasta el día en que las "despierta" un chaparrón, las plantas que nacen tienen muchas posibilidades de sobrevivir y crecer. El letargo de las semillas es, pues, una estrategia de supervivencia. En cada especie, según el medio en que vive, el letargo de las semillas requiere, para romperse, diferentes condiciones.

semilla a la espera de condiciones favorables

tras un chaparrón, nacen, crecen...

producen semillas...

y mueren en cuestión de pocas semanas

SEMILLAS QUE "DESPIERTAN" CON EL FUEGO

Una semilla que sólo germina, por ejemplo, después de un incendio, lo hace en un momento en que la competencia de las plantas maduras se ha reducido por efecto del fuego. Ésa es la estrategia utilizada por las jaras de los bosques mediterráneos. Cuando veas un monte convertido en un jaral, piensa que probablemente es un bosque que ardió hace pocos años.

La semilla de la jara es muy resistente al fuego.

PLANTAS QUE SIEMBRAN SUS SEMILLAS

La planta del **cacahuete**, después de la fecundación de las flores, dobla sus tallos hacia el suelo, introduciendo los ovarios en el terreno. De este modo, sus frutos (los cacahuetes) maduran dentro de la tierra.

VIAJAR EN FORMA DE SEMILLA

A diferencia de los animales, las plantas no pueden desplazarse por sí mismas, pero pueden viajar. Los frutos dehiscentes de muchas plantas como las leguminosas, cuando llegan a la madurez, revientan en los días calurosos y secos, lanzando sus semillas a distancia. Las semillas aladas o provistas de pelos son transportadas por el viento. Otras viajan enganchadas al pelaje o plumaje de los animales, o son arrastradas por las corrientes de agua. Por último, ciertas semillas son dispersadas por animales incapaces de digerirlas una vez que han engullido los frutos que las contienen.

Ejemplo de semillas dispersadas por el viento.

Semillas del **loto índico** con más de 1.000 años de edad se han hecho germinar sometiéndolas a abrasión antes de humedecerlas.

LA GERMINACIÓN

Tras un letargo de duración variable según las especies, el embrión despierta cuando las condiciones de humedad y temperatura le son favorables para emprender el desarrollo. Entonces la semilla se hincha, el embrión empieza a crecer a costa de las reservas nutritivas que le acompañan y rompe el epispermo. Cuando las reservas se acaban, la joven plantita ya tiene una raíz con pelos radicales para absorber por sí misma los nutrientes del suelo y las primeras hojas verdes con clorofila para realizar la fotosíntesis.

LAS CONDICIONES FÍSICAS DEL MEDIO

Cada especie vegetal necesita ciertos materiales y determinadas condiciones ambientales para poder crecer y reproducirse. Que en una región determinada encontremos o no una planta depende de la humedad, la luz, la temperatura, el tipo de suelo y otros factores físicos, además de otros de tipo biológico, como la existencia o no de otra planta competidora mejor adaptada que aquélla.

En un bosque de piceas y abedules (derecha) penetra menos luz que en un bosque de pinos (izquierda).

LA LUZ

La luz procedente del Sol es la base de la existencia de los vegetales fotosintéticos, y su distribución está en función del grado de nubosidad de la zona y el tiempo que dura ésta, así como del tipo de vegetación.

COMPRUEBA LA IMPORTANCIA DE LA LUZ

Si siembras dos habas en dos macetas y colocas a una de ellas en un ambiente oscuro, verás cómo se alarga y palidece, es decir, se ahíla. La planta orienta todas sus energías hacia un mismo objetivo: salir fuera de la zona oscura. Si no lo consigue, muere. Sin luz, no hay posibilidad de fotosíntesis.

Plantas de haba de tres semanas de edad: la de la izquierda, mantenida en la oscuridad, está ahilada; la de la derecha ha crecido a la luz.

PLANTAS DE DÍA CORTO Y DE DÍA LARGO

El momento de florecer de algunas plantas depende de la duración del día, es decir, el número de horas de luz por día, llamado **fotoperíodo**. Hay plantas, como los **crisantemos**, que no producen flores cuando el fotoperíodo excede un cierto número de horas y por eso suelen florecer en otoño; reciben el nombre de **especies de día corto**. En cambio las **especies de día largo**, como el **gladiolo**, necesitan un mínimo de horas de luz al día para florecer y por eso suelen hacerlo en primavera-verano. También hay plantas **neutras** en cuanto al fotoperíodo, cuya floración no se ve afectada por la duración del día.

La hiedra sólo florece si está expuesta a la luz directa y no lo hace si está a la sombra.

COMPORTAMIENTO DE ALGUNAS PLANTAS SEGÚN LA DURACIÓN DEL DÍA

Plantas de día largo	Plantas de día corto	Plantas de día neutro
trigo	arroz	poa pratense
cebada	mijo	carraspique
guisantes	cáñamo	pamplina
mostaza	soja	hierba cana
espinaca	crisantemo	pepino
vid	flor de pascua	tomate
trébol pratense	trébol rastrero	zanahoria
haba	amaranto	

La flor de pascua, o ponsettia, es una planta de día corto que florece en diciembre; pero se la puede hacer florecer en cualquier época del año si se regula artificialmente la duración del día.

TEMPERATURA Y HUMEDAD

El calor es una forma de energía debida principalmente a los rayos solares, y se manifiesta mediante la temperatura. Dentro de ciertos límites, una elevación de la temperatura estimula el crecimiento de los vegetales; pero las temperaturas muy bajas o muy altas lo detienen. Los vegetales están adaptados al lugar donde viven sobre todo en relación con el **clima** de la zona, que básicamente depende de la temperatura y las precipitaciones.

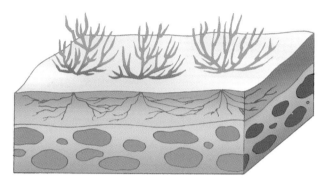

Algunas plantas del desierto tienen conectadas sus raíces para aprovechar mejor la poca humedad del subsuelo.

EL SUELO

El suelo es otro factor importante para la vida de los vegetales terrestres, ya que contiene el agua y los minerales de los que se nutren estos organismos. Hay muchos tipos de suelos y también hay plantas mejor adaptadas que otras a cada uno de estos tipos. Un castaño, por ejemplo, no puede desarrollarse en un suelo en el que la roca está muy cerca de la superficie. En cambio, hay plantas que crecen en las fisuras de las rocas y líquenes que se conforman con tapizarlas superficialmente. Hay plantas propias de suelos salinos y otras de suelos calcáreos, etc.

En los invernaderos, la temperatura y la humedad están controladas artificialmente con objeto de imitar las condiciones a las que están adaptadas las plantas que se cultivan. De esta manera se pueden producir determinadas hortalizas y flores en cualquier época del año, cuando son plantas de verano.

MUCHAS RAÍCES Y POCAS HOJAS

Te habrás fijado que en el desierto las plantas parecen estar muy separadas unas de otras. En realidad están en contacto mediante sus extensos órganos subterráneos. Si desarrollaran mucho su parte aérea sucumbirían a la evaporación. Todo lo contrario de lo que ocurre en las plantas que viven en medios pantanosos o acuáticos, ya que en ellos no hay que preocuparse por el agua y con pocas raíces una planta se puede permitir el lujo de tener muchas hojas.

Algunos árboles forestales de Siberia resisten temperaturas de –46 ºC. Ciertas algas microscópicas del grupo de las diatomeas ¡resisten –200 ºC!

Un suelo maduro consta de tres capas que se llaman **horizontes A**, **B** y **C** y en conjunto constituyen el **perfil del suelo**. El horizonte superior (A), el más rico en **humus**, yace sobre un subsuelo (B) rico en minerales. Bajo éste se halla la roca madre en proceso de descomposición (C).

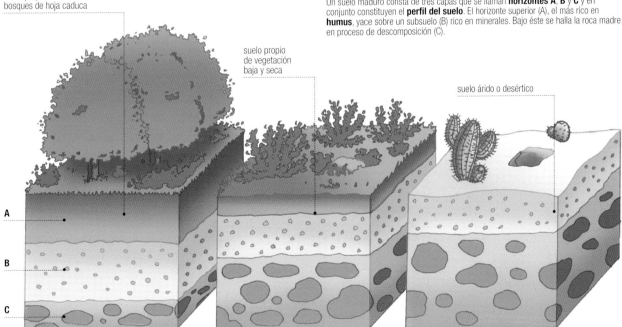

suelo propio de ricos bosques de hoja caduca

suelo propio de vegetación baja y seca

suelo árido o desértico

A

B

C

COMUNIDADES VEGETALES Y ECOSISTEMAS

Se puede estudiar cómo es y qué hace un determinado individuo, vegetal o animal, o incluso un grupo de individuos; pero su vida real depende estrechamente del ambiente físico que le rodea y de los demás seres vivos con los que comparte el territorio en que vive. La **ecología** se encarga de investigar las relaciones entre los seres vivos y su ambiente físico, cómo se influyen y modifican mutuamente y cómo interactúa cada individuo con los demás.

¿QUÉ ES UNA ESPECIE?

Los diferentes tipos de plantas que encuentras en un bosque, como encinas, pinos, jaras, tomillo, etc., son las diferentes especies vegetales que lo componen. Eso, a primera vista. Porque si prestas mayor atención, quizá verás que hay dos clases de pinos: unos más altos y de copa más densa (pinos piñoneros) y otros más ramificados. Eso quiere decir que hay dos especies de pinos. Los individuos de una misma especie se reproducen entre ellos; los de especies distintas no pueden tener descendencia fértil.

VARIEDADES Y RAZAS

Si vas a comprar manzanas, tendrás que elegir entre varios tipos. Las hay de diferentes colores, formas y sabores. Además, en el campo no todas maduran al mismo tiempo. Son variedades (o razas) de una misma especie: el manzano.

La comunidad vegetal está formada por:
la población de encinas (especie) y el individuo (encina); la población de pinos piñoneros (especie) y el individuo (pino piñonero); la población de jaras (especie) y el individuo (jara); la población de níscalos (especie) y el individuo (níscalo), etc.

La comunidad animal está formada por:
la población de águila imperial (especie) y el individuo (águila imperial); la población de jabalíes (especie) y el individuo (jabalí), etc.

LAS ESPECIES QUE SE PARECEN PERTENECEN A UN MISMO GÉNERO

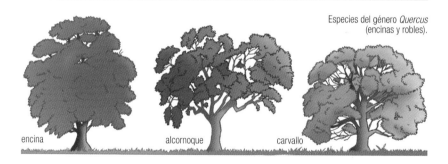

El grado de riqueza en especies de una comunidad es la **biodiversidad**.

Especies del género *Pinus* (pinos).

pino piñonero

pino albar

pino calabrés

Especies del género *Quercus* (encinas y robles).

encina

alcornoque

carvallo

LA COMUNIDAD VEGETAL

En la naturaleza, cada especie está representada por una **población** de individuos que se van reproduciendo entre ellos. Por ejemplo, todos los pinos piñoneros que hay en un bosque constituyen la población de pinos piñoneros de dicho bosque. El conjunto de todas las poblaciones vegetales de un lugar forma la **comunidad vegetal** que lo habita. Si también tuviéramos en cuenta las poblaciones de animales, tendríamos la comunidad de seres vivos de aquel sitio, es decir, la **comunidad biótica**.

La mayor parte del suelo hoy desprovisto de bosques está poblada de comunidades vegetales cuya existencia se debe a los seres humanos.

Aspecto de la costa mediterránea, poblada de pinos.

EL ECOSISTEMA

El conjunto de la comunidad biótica (o **biocenosis**) y el ambiente físico (suelo, clima, etc.) constituyen un **ecosistema**. Todos los componentes, físicos y biológicos, de un ecosistema son interdependientes, y entre ellos hay un constante intercambio de materia y energía.

Una pequeña laguna constituye un ejemplo de ecosistema. La comunidad vegetal está integrada por poblaciones de diferentes especies de plantas de ribera, plantas acuáticas, algas pluricelulares y algas microscópicas.

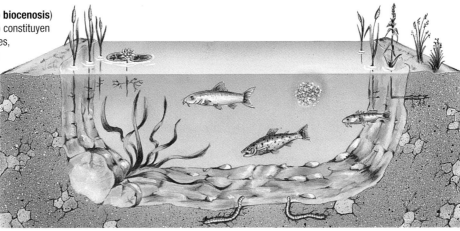

La estratificación de la vegetación en un bosque refleja los diferentes nichos en los que cada forma vegetal satisface sus necesidades vitales.

estrato arbóreo

estrato herbáceo

estrato arbustivo

estrato muscínico

estrato edáfico

LA PIRÁMIDE ECOLÓGICA

En todo ecosistema, los herbívoros se alimentan de algas o plantas, y los carnívoros, de los herbívoros o de otros carnívoros. Los carroñeros dan cuenta de los cadáveres, y las bacterias y los hongos descomponedores mineralizan los restos orgánicos para que puedan ser utilizados por los vegetales. Es el ciclo de la materia y la energía. La materia se recicla constantemente, pero en cada uno de estos pasos o eslabones de la cadena se pierde energía. Si la vida continúa, es porque algas y plantas "funcionan" con energía solar; son los verdaderos **"productores"** de la naturaleza. Todos los demás organismos son **"consumidores"**.

Ejemplo de pirámide ecológica de un ecosistema.

carroñeros

buitre negro

depredadores
(consumidores secundarios)

lince
culebra bastarda
gineta
águila imperial

A la larga, en un mismo ecosistema nunca hay dos especies que ocupen el mismo nicho, ya que estarían en competencia permanente. Siempre hay una que acaba por desbancar a la otra.

herbívoros
(consumidores primarios)

muflón
conejo
paloma torcaz
mariposa
lirón
careto

EL NICHO ECOLÓGICO

El hecho de que encontremos diferentes especies en un mismo lugar se debe a que cada una tiene un estilo de vida diferente y utiliza el ambiente de manera distinta a como lo hacen las demás especies de la comunidad. Esta manera de utilizar las condiciones ambientales (luz, nutrientes, espacio, etc.) se conoce como nicho ecológico.

productores

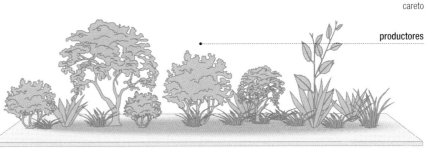

ENDEMISMOS Y REINOS FLORALES

Puedes observar la cubierta vegetal de una determinada zona desde dos perspectivas distintas. Si te dedicas a identificar todas y cada una de las especies presentes para hacer un "inventario", estarás estudiando la **flora** de aquella zona. Si, en cambio, te interesas por la fisonomía de las plantas y el paisaje, por ejemplo si éstas componen un bosque, un prado o un matorral, entonces estarás estudiando la **vegetación**.

¿CÓMO SE FORMA UN ENDEMISMO?

Una especie que sólo se encuentra en una determinada área, cuando por sus características fisiológicas también podría estar en otros lugares, se dice que es **endémica** de aquel territorio, o que es un **endemismo**. Un endemismo puede producirse de dos maneras: por formación de una nueva especie que queda aislada de sus antiguos colegas, o porque una especie ampliamente difundida en otros tiempos sólo se conserva en un área restringida gracias a su aislamiento.

Donde encontrarás más endemismos es en las cimas de las montañas altas y en las islas muy alejadas de los continentes.

cambios climáticos   miles de años después

En el endemismo progresivo, un grupo de individuos de una especie queda aislado y se va diferenciando progresivamente de sus antiguos congéneres al vivir en condiciones diferentes.

inmigración de herbívoros consumidores de la planta   extinción

En el endemismo conservativo, se extinguen los antiguos congéneres y se conserva el grupo que ha quedado aislado de las causas de la extinción.

PRINCIPALES CAUSAS DE EXTINCIÓN DE ESPECIES

Causas naturales	Cambios climáticos importantes
	Plagas y enfermedades
	Desigual capacidad competitiva
	Pérdida de capacidad reproductora
Causas de origen humano	Agricultura extensiva
	Deforestación y roturación
	Pastoreo excesivo
	Industrialización y urbanización
	Grandes obras públicas
	Minería
	Incendios forestales
	Contaminación genética
	Recolecciones no controladas
	Falta de polinizadores por abuso de insecticidas

CAUSAS DE ENDEMISMO POR AISLAMIENTO

- Las **montañas** son islas ecológicas al estar separadas de los valles que las rodean por diferentes condiciones climáticas.

- Los **desiertos** también son islas por la hostilidad de su clima.

- Los **suelos especiales**, como puede ser un suelo muy yesoso, representan áreas aisladas muy selectivas para los vegetales.

- Las **islas**, al estar limitadas por el mar, es donde el endemismo se manifiesta con mayor potencia para las plantas terrestres.

BARRERAS GEOGRÁFICAS Y ECOLÓGICAS

La causa principal de la formación de endemismos es el aislamiento de la población debido a la existencia de barreras que impiden la expansión. Estas barreras pueden ser geográficas, pero también ecológicas, es decir, debidas a grandes diferencias en factores ambientales importantes, o estacionales. Este último caso ocurre cuando no hay coincidencia en la época de la polinización.

Incahuasi es una peculiar isla de Bolivia; se encuentra rodeada de un salar o mar de sal, y en ella se han endemizado numerosas especies de cactus.

En los momentos actuales hay más de 20.000 especies vegetales en el mundo que están en **peligro de extinción**.

Introducción

Anatomía
vegetal

Fisiología
vegetal

Reproducción

Flor, fruto
y semilla

**Ecología
y evolución**

Las algas

Los hongos

Las plantas

Plantas con
flores y frutos

Las plantas y
su ambiente

Las plantas
acuáticas

Las plantas
silvestres

Las plantas
domesticadas

El jardín

Índice
alfabético
de materias

LOS REINOS FLORALES DEL PLANETA

Así como el tipo de vegetación que encuentras en un determinado lugar se debe sobre todo a las condiciones actuales del clima y el suelo de la zona, la **flora** (las especies) es el resultado de acontecimientos pasados de nuestro planeta que han originado endemismos a escala continental. Por ejemplo, las selvas tropicales lluviosas de Sudamérica tienen el mismo tipo de vegetación que las de África o Asia; pero las especies no son las mismas.

En el mundo se distinguen seis grandes **reinos florales** con características propias en cuanto a la flora.

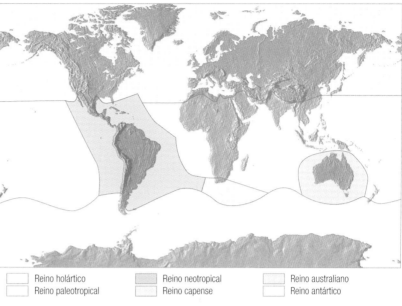

☐ Reino holártico   ☐ Reino neotropical   ☐ Reino australiano
☐ Reino paleotropical   ☐ Reino capense   ☐ Reino antártico

HISTORIA DE LOS CONTINENTES

hace 230 millones de años

hace 200 millones de años

hace 135 millones de años

hace 60 millones de años

La jara, un arbusto inflamable de la maquia mediterránea.

LA HISTORIA DE LOS CONTINENTES

La superficie de nuestro planeta está formada por un conjunto de **placas litosféricas** que no han estado siempre distribuidas como en la actualidad. Mientras que unos continentes se individualizaron en épocas muy remotas, quedando aisladas muchas especies que luego evolucionaron por separado, otros permanecieron unidos hasta no hace mucho tiempo, en términos de millones de años. Además, el clima ha sufrido muchos cambios a lo largo de la historia de la Tierra, de modo que zonas que hoy están cubiertas de hielo en otros momentos han estado cubiertas de bosques, y a la inversa.

LAS ESPECIES VICARIANTES

Un botánico, cuando viaja por otros continentes, se interesa sobre todo por encontrar aquellas especies que desempeñan la misma función, en la comunidad vegetal, que aquellas que conoce de otros ambientes similares. Son las llamadas **especies vicariantes**. Por ejemplo, en el **matorral laurifolio** de Chile y el **chaparral** de California, la **jara** de la **maquia mediterránea** tiene dos especies vicariantes: el **trevu** y el **chamizo**, respectivamente. Las tres especies ocupan el mismo **nicho ecológico**: son arbustos "inflamables", que fomentan el fuego para desplazar a otras especies. Sus semillas resisten el fuego.

LA VEGETACIÓN Y EL PAISAJE

Cuando contemplas un **paisaje**, uno de sus componentes principales es la vegetación. El ser humano ha eliminado muchos bosques y otras **formaciones vegetales**; pero, afortunadamente, las plantas vuelven en muchos casos a colonizar el territorio. En otros, por desgracia, el daño puede ser irreparable.

TIPOS DE VEGETALES

Dos o más especies vegetales son del mismo tipo si realizan la misma función en la comunidad. Esta función va muy ligada al grado de protección que la planta presta a sus órganos de regeneración (semillas, yemas, etc.) durante la estación desfavorable (por frío o por sequía). Y eso está directamente relacionado con la altura a la que se producen dichos órganos.

TIPOS DE VEGETALES EN FUNCIÓN DE SUS ÓRGANOS DE REGENERACIÓN

en los **árboles** y **arbustos**, las yemas de renuevo están a más de 30 cm del suelo

los **arbustos enanos o en cojín** son las plantas con la parte inferior leñosa y persistente que tienen las yemas a menos de 30 cm del suelo

las **plantas en roseta** tienen sus órganos de regeneración a ras del suelo, protegidos por la hojarasca

las **plantas con tubérculos, rizomas** o **bulbos** tienen sus órganos de regeneración bajo tierra

las **plantas acuáticas** tienen yemas de regeneración bajo el agua o en un suelo empapado en agua

en las **hierbas anuales**, el único órgano de regeneración es la semilla

TIPOS DE VEGETACIÓN

Un tipo de vegetación determinado, o **formación vegetal**, no se caracteriza por las especies que lo forman, sino por el tipo de especies y la proporción en que se hallan combinadas. Es decir, por la fisonomía del conjunto, que es uno de los principales factores que determinan el **paisaje**.

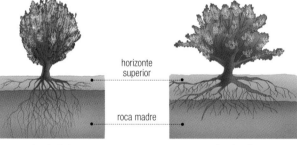

horizonte superior

roca madre

chamizo bajo

chamizo alto

El nenúfar es una planta acuática y sus hojas flotan en el agua.

PRINCIPALES FORMACIONES VEGETALES

Selvas y bosques	Predominan los árboles
Sabanas y dehesas	Los árboles forman un paisaje abierto y entre ellos predominan las hierbas
Matorrales	Predominan los arbustos
Estepas y praderas	Predominan las hierbas

Conocemos como selva al bosque extenso, salvaje (no cultivado) y con abundante vegetación.

LA CONVIVENCIA ENTRE PLANTAS

A veces puede extrañarte que dos plantas muy parecidas puedan convivir sin hacerse la competencia. Sin embargo, siempre hay una explicación. Por ejemplo, en el chaparral californiano se ven dos especies de chamizo una al lado de la otra, pero utilizan recursos distintos. La más baja tiene sus raíces en la roca madre del suelo; la otra las tiene en el horizonte superior. La primera florece y echa semillas a finales de primavera; la segunda, a finales de verano. Como ves, la competencia es mínima.

Introducción

Anatomía
vegetal

Fisiología
vegetal

Reproducción

Flor, fruto
y semilla

**Ecología
y evolución**

Las algas

Los hongos

Las plantas

Plantas con
flores y frutos

Las plantas y
su ambiente

Las plantas
acuáticas

Las plantas
silvestres

Las plantas
domesticadas

El jardín

Índice
alfabético
de materias

SUCESIÓN Y EQUILIBRIO

Si bien las condiciones climáticas y el tipo de suelo determinan la vegetación de un lugar, la vegetación influye a su vez sobre el suelo y, a pequeña escala, sobre el clima. Estas

interacciones conducen a un **estado de equilibrio** o **clímax** entre la vegetación, el clima y el suelo del lugar. Cualquier cambio, natural o artificial, en uno de ellos

desencadena una **sucesión ecológica** que tiende a restablecer nuevamente el equilibrio, que queda plasmado en la llamada **vegetación clímax**.

bosque de piceas

incendio

las piceas van desplazando a los pinos, que no pueden medrar a la sombra; 500 años después del incendio se ha restablecido el bosque de piceas originario, la comunidad clímax de la región

en el primer año ya brota un herbazal de hierbas amantes de la luz

en 150 años el pino albar desplaza a los abedules; las piceas pueden medrar a la sombra de los pinos

pronto aparecen retoños de abedul y álamo temblón, exigentes en luz y de crecimiento rápido

Ejemplo de sucesión ecológica tras el incendio de un bosque de piceas del norte de Europa.

al cabo de 60 años se ha formado un bosque de abedules, a cuyo abrigo crece el pino albar

LOS CLIMAS DE LA TIERRA Y LA VEGETACIÓN

En el mundo se pueden distinguir una serie de regiones caracterizadas por su clima, en función de la precipitación anual, la temperatura media anual y la relación entre el agua caída y la evaporada. Teniendo en cuenta esto, se puede prever qué paisaje cabría esperar en cada una de estas regiones. A grandes rasgos, el clima se hace más frío a medida que nos alejamos del ecuador; pero en las montañas altas la temperatura también desciende a medida que ascendemos.

PISOS DE VEGETACIÓN

Si subes a una montaña, notarás que el frío aumenta a medida que asciendes. Las plantas también lo notan; por eso la vegetación va cambiando con la altura. En los Pirineos (entre Francia y España), por ejemplo, se distinguen cuatro **pisos de vegetación**, cada uno con su paisaje vegetal característico:

• **piso basal:** hasta los 900 m de altitud. El paisaje característico es el bosque de encinas;

• **piso montano:** desde 900 hasta 1.700 m. Dominan los bosques de hayas, robles, pino silvestre y abetos;

• **piso subalpino:** entre 1.700 y 2.200 m. Domina el pino negro;

• **piso alpino:** desde los 2.200 m hasta las cumbres. Ya no hay árboles y dominan los pastizales de hierbas perennes.

LOS DIFERENTES TIPOS DE VEGETACIÓN
DE LAS DIVERSAS REGIONES CLIMÁTICAS DE LA TIERRA

- selva tropical lluviosa
- selva húmeda templada
- bosques tropicales y subtropicales deciduos a causa de la sequía
- bosques templados deciduos a causa del frío
- bosques y matorrales mediterráneos
- bosques de coníferas
- estepas y praderas
- desiertos y semidesiertos
- vegetación de alta montaña
- tundra
- hielo

Puedes seguir los pasos de una **sucesión** observando año tras año cómo evoluciona un campo de cultivo abandonado. Al final se convertirá en el bosque que era originariamente.

En una **sucesión**, todas las comunidades menos la clímax **mueren de éxito**, ya que es su éxito lo que crea las condiciones favorables para el establecimiento de la comunidad siguiente.

FORMAS ESPECIALES DE VIDA VEGETAL

La forma de vida vegetal que todo el mundo tiene presente es la de la planta con tallo, hojas y raíces que se nutre de los minerales del suelo realizando la fotosíntesis. Pero hay muchos vegetales que viven de diferente manera, empezando por los hongos, que no tienen clorofila, y terminando por plantas con clorofila que han desarrollado alguna astucia para "ahorrarse trabajo" a costa de otras.

DESCOMPONER CADÁVERES PARA PODER COMER

Los **saprófitos** son organismos incapaces tanto de producir sus propios alimentos como de ingerir alimentos sólidos. Con la ayuda de los **fermentos** que producen, solubilizan las sustancias orgánicas de los **cadáveres** vegetales y animales, así como de sus desechos, y luego las absorben directamente a través de la membrana celular.

La descomposición y corrupción de las masas orgánicas muertas son a consecuencia de la acción de bacterias, levaduras (en la imagen) y hongos que viven como saprófitos.

En un campo de altramuces de la extensión de un campo de fútbol, estas plantas pueden aprovechar, en una sola campaña, más de 200 kg de nitrógeno fijado por las bacterias en sus raíces.

Hongo colonizador de las agujas de pino muertas.

AYUDARSE MUTUAMENTE

La **simbiosis** es una asociación entre dos seres vivos de diferente especie, llamados **simbiontes**, en la que ambos obtienen algún beneficio, a menudo de carácter nutritivo. A veces la asociación es muy estrecha y permanente, como en el caso de los **líquenes** (asociación de un alga y un hongo) o las **bacteriorrizas** (asociación entre las raíces de una planta leguminosa y ciertas bacterias fijadoras del nitrógeno libre del aire).

UN SOCIO BENEFICIADO Y NADIE PERJUDICADO

Es el caso de las plantas epífitas, que viven sobre otras sin perjudicarlas. El helecho llamado cuerno de alce, por ejemplo, forma un amasijo de raíces en una grieta de la corteza de un árbol, donde las hormigas anidan y acumulan humus rico en nutrientes para el helecho. Este tipo de relación se llama **comensalismo**.

El musgo, que a menudo cubre parte de la corteza de los árboles en zonas húmedas, utiliza éstos como soporte.

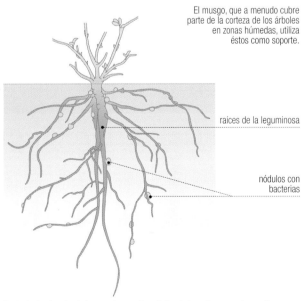

raíces de la leguminosa

nódulos con bacterias

Bacteriorriza. Las bacterias penetran en las células de las raíces y se desarrollan y se multiplican a costa de las sustancias de la planta. Ante la "infección", las células de la raíz se multiplican, aumentan de tamaño, producen nódulos y se aprovechan del nitrógeno fijado por las bacterias.

Introducción

Anatomía
vegetal

Fisiología
vegetal

Reproducción

Flor, fruto
y semilla

**Ecología
y evolución**

Las algas

Los hongos

Las plantas

Plantas con
flores y frutos

Las plantas y
su ambiente

Las plantas
acuáticas

Las plantas
silvestres

Las plantas
domesticadas

El jardín

Índice
alfabético
de materias

VIVIR A COSTA DE LOS DEMÁS

Un parásito es un ser vivo que se alimenta a costa de otro ser vivo, al que se llama **hospedador**, viviendo sobre él (**ectoparásito**) o dentro de su cuerpo (**endoparásito**). La única diferencia que hay entre un depredador y un parásito es que éste no mata a su víctima para devorarla, sino que la utiliza viva. Los parásitos causan enfermedades, ya que destruyen las células del hospedador o producen sustancias tóxicas.

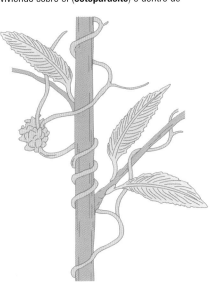

Raíces de trébol parasitadas por jopo.

→ Para los druidas galos, si el muérdago llegaba a nacer sobre un roble, lo estimaban como enviado del cielo, y el árbol, como elegido de Dios.

Los **parásitos completos** no tienen clorofila y, por tanto, tienen que obtener todos los nutrientes necesarios del hospedador. Por eso empalman directamente con los vasos del floema del hospedador, conductores de savia elaborada. En el dibujo, rama de sauce parasitada por cuscuta.

Rama de manzano parasitada por muérdago. El muérdago es un ejemplo de hemiparásito. Mantiene la clorofila, incluso en invierno, cuando el manzano ya ha perdido sus hojas; de modo que puede realizar la fotosíntesis y sólo sustrae savia bruta del xilema del hospedador mediante sus haustorios.

LOS HAUSTORIOS

Muchos hongos parásitos, como el que causa la podredumbre de la patata, producen un enzima en el extremo de sus hifas, que les ayuda a penetrar en los tejidos de la planta. Una vez dentro, las hifas se extienden por entre las células y van penetrando en ellas mediante haustorios que facilitan la absorción de las sustancias contenidas en el citoplasma.

hongo

célula del huésped

perforación

haustorio
ramificado

Arriba, hongo penetrando en la epidermis de una hoja y formando un haustorio (abajo en sección).

NO SON FRUTOS, SON AGALLAS

En las hojas y ramas tiernas de muchas plantas, especialmente las encinas y los robles, a menudo se ven unas deformaciones y engrosamientos que a primera vista pueden parecer frutos. Pero son agallas. Si las abres, verás que contienen larvas del insecto parásito. Hay muchos tipos de agallas. Las del pino son producidas por bacterias, así como las verrugas del olivo. Otras son producidas por hongos.

Agallas sobre una hoja de haya.

EVOLUCIÓN EN EL MUNDO DE LOS VEGETALES

Te habrás dado cuenta de que los reptiles actuales no son como los dinosaurios que vivieron hace millones de años, ni las plantas de nuestros paisajes son como las que alimentaron a los gigantescos diplodocus. Desde que surgió la vida en nuestro planeta, todos los seres vivos han estado en un continuo proceso de cambio. La **variabilidad** en la descendencia se pone a prueba cada vez que hay modificaciones en el medio, sobreviviendo siempre los individuos más aptos para vivir bajo las nuevas condiciones. Este proceso de **selección natural** ha sido el motor de la **evolución** de la vida.

LOS ORGANISMOS MÁS ANTIGUOS

Entre los seres vivos que habitaron nuestro planeta se encuentran las **cianobacterias,** parecidas a las **algas verdeazuladas** actuales. Estos organismos contribuyeron a transformar la atmósfera primitiva de la Tierra sin oxígeno en una atmósfera como la actual, con oxígeno y una capa de ozono protectora de la radiación ultravioleta del Sol.

LAS AGUAS SE LLENAN DE VIDA

Tras las pioneras células bacterianas evolucionaron numerosos grupos de otro tipo de algas, primero unicelulares y más tarde pluricelulares, con el **material genético (ADN)** organizado en **cromosomas** empaquetados dentro de un núcleo. Estas algas pudieron acercarse más a la superficie del agua e invadir las costas húmedas.

EL GRAN INVENTO DE LA REPRODUCCIÓN SEXUAL

Las primitivas algas se reproducían duplicándose y originando dos células idénticas a la madre. Las algas con núcleo pusieron en marcha un nuevo sistema: se unían dos células, intercambiaban una parte de su ADN y se dividían. Los descendientes, al contener una mezcla del ADN de sus padres, ya no eran idénticos. La **variabilidad** creaba más posibilidades de adaptación y aceleraba la **evolución**, produciendo una explosión de formas de vida.

ÁRBOL EVOLUTIVO DE LA VIDA

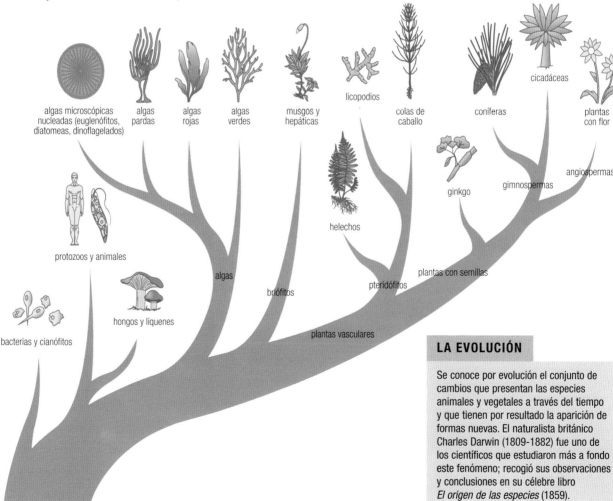

algas microscópicas nucleadas (euglenófitos, diatomeas, dinoflagelados)

algas pardas

algas rojas

algas verdes

musgos y hepáticas

licopodios

colas de caballo

cicadáceas

coníferas

plantas con flor

angiospermas

ginkgo

gimnospermas

helechos

protozoos y animales

algas

bríofitos

plantas con semillas

pteridófitos

hongos y líquenes

bacterias y cianófitos

plantas vasculares

LA EVOLUCIÓN

Se conoce por evolución el conjunto de cambios que presentan las especies animales y vegetales a través del tiempo y que tienen por resultado la aparición de formas nuevas. El naturalista británico Charles Darwin (1809-1882) fue uno de los científicos que estudiaron más a fondo este fenómeno; recogió sus observaciones y conclusiones en su célebre libro *El origen de las especies* (1859).

EL PRIMER DESEMBARCO

Durante millones y millones de años, en las tierras emergidas no hubo vida alguna. Hasta que algunas **algas verdes (clorófitos)** de las orillas de los lagos y pantanos desarrollaron una superficie cerosa, la **cutícula**, que evitaba la desecación cuando bajaba el nivel del agua. Unas pequeñas aberturas, los **estomas**, permitían la entrada del dióxido de carbono necesario para la fotosíntesis y la salida del oxígeno. Eran como los **musgos** y **hepáticas** actuales, que son terrestres pero tienen que permanecer en ambientes húmedos y sombríos porque liberan gametos que deben viajar para encontrarse unos con otros.

GANAR ALTURA

Tras el éxito de las plantas vasculares, la vegetación fue haciéndose más densa. Para conseguir luz, había que crecer más que el vecino y eso implicaba un soporte adicional. Así apareció el **tejido leñoso** que hizo posible la aparición de **los primeros árboles**.

Hace 55 millones de años, el clima de la Tierra era tan cálido que la vegetación tropical alcanzó los círculos polares.

Las flores aparecieron más tardíamente. Constituyeron una estrategia para atraer a los insectos y a las aves polinizadoras para difundir sus especies.

Uno de los primeros árboles que hicieron sombra en la superficie de la Tierra fue el *Glossopteris*, que abundaba hace 300 millones de años.

ALIMENTO NUEVO, NUEVAS APARICIONES

Con el desarrollo de la vegetación terrestre se fueron acumulando por primera vez restos de plantas que estimularon el desarrollo de **hongos** saprófitos a partir de algas que perdieron la clorofila. Estos hongos se alimentaban de esta materia muerta y, al descomponerla, iban formando el **primer suelo fértil** en el que hundían sus raíces las primeras plantas vasculares.

Gracias a su prodigiosa adaptabilidad, los musgos se encuentran en todos los ambientes terrestres. Son capaces de retener gran cantidad de humedad y resistir durante mucho tiempo la sequía.

EL SEGUNDO DESEMBARCO

Un segundo grupo de algas siguió un camino evolutivo distinto al de los primitivos musgos: encontró los medios para unir los gametos sin derramarlos en el agua y desarrolló raíces y sistemas eficientes para la circulación del agua. Son las **plantas vasculares** que hoy dominan los ambientes terrestres, aunque no todas con el mismo grado de eficiencia alcanzado por las **plantas con semillas**, las más evolucionadas de todas las plantas terrestres.

Las hojas de las plantas de los lugares con estaciones climáticas son más comestibles que las de las plantas de ambientes no estacionales, ya que para las primeras no tiene mucho sentido extremar las precauciones contra la voracidad de los animales.

LAS ALGAS MICROSCÓPICAS

Aunque a simple vista no puedes ver las **algas unicelulares** individualmente, sí puedes ver el color que proporcionan al agua de un estanque o una piscina abandonada, o las manchas de color variable que aparecen en las rocas desnudas y suelos húmedos, formadas por millones de estas algas. Como todas las algas, son vegetales fotosintéticos que, además de clorofila, tienen otros pigmentos que son responsables de los colores que producen.

LAS MÁS PEQUEÑAS Y MÁS RESISTENTES

Son las **cianobacterias** (o **cianófitos**), llamadas **algas verdeazuladas** porque suelen tener este color, aunque a veces son rojizas, pardas o casi negras. Sólo se multiplican por vía asexual; pero su capacidad para ocupar ambientes en condiciones extremas de luz, frío, calor y sequía no la supera ninguna otra alga ni planta terrestre. Gracias a la cubierta gelatinosa que segregan, resisten hasta la radiación ultravioleta del Sol, que achicharraría a cualquier otro ser vivo.

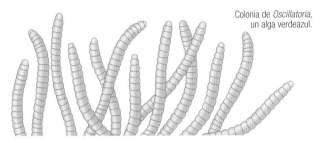

Colonia de *Oscillatoria*, un alga verdeazul.

ORGANIZACIÓN CELULAR DE UN ALGA MICROSCÓPICA NO BACTERIANA

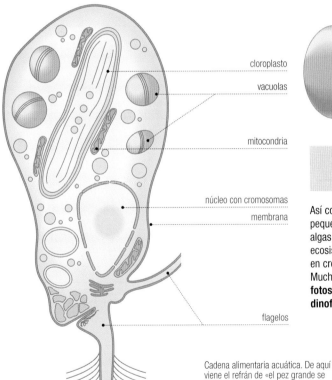

- cloroplasto
- vacuolas
- mitocondria
- núcleo con cromosomas
- membrana
- flagelos

ESTRUCTURA DE UN ALGA VERDEAZULADA

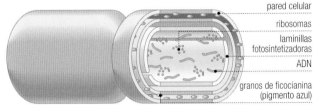

- pared celular
- ribosomas
- laminillas fotosintetizadoras
- ADN
- granos de ficocianina (pigmento azul)

EL ALIMENTO BÁSICO DE MARES, RÍOS Y LAGOS

Así como las algas verdeazuladas no gustan mucho a los protozoos y pequeños animales acuáticos que forman el **zooplancton**, las demás algas microscópicas son la base de la cadena alimentaria de todos los ecosistemas acuáticos del mundo. Estas algas tienen el ADN organizado en cromosomas y, en general, se pueden reproducir sexualmente. Muchas son móviles, por lo que antes eran consideradas **animales fotosintéticos**. Entre las más conocidas se hallan las **diatomeas**, los **dinoflagelados** y los **euglenófitos**.

Cadena alimentaria acuática. De aquí viene el refrán de «el pez grande se come al chico».

Las aguas litorales de algunos lugares pueden albergar una elevada densidad de **fitoplancton**: ¡hasta 375 millones de individuos por metro cúbico de agua!

VIVIR FLOTANDO

Si observas con ayuda de un microscopio una gota de agua de la superficie del mar o de un lago, verás infinidad de seres. Estos organismos, que viven flotando a merced de las olas y las corrientes, constituyen el **plancton**, formado por algas (**fitoplancton**) y animales diminutos (**zooplancton**). No sólo el zooplancton, sino muchos animales que se alimentan filtrando el agua se nutren de fitoplancton.

SERES EN FORMA DE CAJA

Las algas llamadas **diatomeas** se encuentran flotando libremente en el agua y en superficies húmedas. Incluso hay especies que viven dentro del hígado y los riñones de los seres humanos. Su estructura consta de dos mitades superpuestas que se ensamblan como las dos partes de una caja, y sus **paredes silíceas** están ornamentadas por rebordes, líneas y poros muy finos. Los restos de sus paredes celulares se han acumulado en el fondo de los océanos durante millones de años y en algunos sitios han aflorado a la superficie debido a levantamientos geológicos. Es lo que se llama **tierra de diatomeas**.

La **tierra de diatomeas** se ha utilizado tradicionalmente para hacer ladrillos aislantes, filtros, dentífricos y polvos para pulir objetos de plata.

Las tres cuartas partes de toda la materia orgánica que se sintetiza en el mundo y una buena parte del oxígeno atmosférico son resultado de la actividad de las **diatomeas** y los **dinoflagelados**.

DIVERSAS ESPECIES DE DINOFLAGELADOS

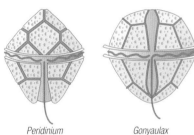

Peridinium   *Gonyaulax*

Dinophysis acuta

Prorocentrum

LOS ANIMALES - PLANTAS

El grupo de los euglenófitos presenta especies fotosintéticas, pero la mayoría de sus componentes son incoloros (carecen de clorofila) y viven de materia muerta o ingieren partículas orgánicas. Algunos, como la *Euglena*, con características animales y vegetales, a veces se ha clasificado como vegetal (alga) y otras como animal (protozoo).

CON ARMADURA Y LÁTIGOS

Determinadas algas unicelulares están rodeadas por un caparazón de gruesas **placas de celulosa** entrelazadas. Se llaman **dinoflagelados** porque tienen dos **flagelos** o látigos. La posesión de gran cantidad de pigmentos les proporciona un color amarillento, rojizo o café que transmiten al agua cuando forman poblaciones muy densas. Algunas especies emiten una luz que es visible en las noches oscuras.

¡MAREA ROJA!

A veces, desde la misma playa, se ve una extensa mancha de tonalidad rojiza en la superficie del agua que recibe el nombre de marea roja. Se debe a una gran proliferación repentina de **dinoflagelados**. Las mareas rojas no siempre son tóxicas, pero pueden serlo, y en ocasiones incluso contaminan la atmósfera, generando molestias respiratorias a los humanos. Eso es debido a la curiosa forma de competir por el oxígeno que tienen estas algas: producir sustancias tóxicas.

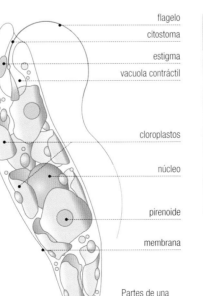

flagelo
citostoma
estigma
vacuola contráctil
cloroplastos
núcleo
pirenoide
membrana

Partes de una *Euglena gracilis*.

INTOXICARSE COMIENDO MARISCO

Habrás oído hablar de personas que han estado al borde de la muerte por comer marisco tóxico. Esto ocurre porque ciertos animales marinos que, como los **mejillones**, se alimentan filtrando el agua han ingerido sustancias tóxicas producidas por **dinoflagelados**. Estas sustancias inhiben el diafragma y causan fallo respiratorio.

ESPECIES DIVERSAS DE DIATOMEAS

Cyclotella meneghiniana

Achnanthes minutissima

Achnanthes lanceolata

LAS ALGAS SUPERIORES

Cuando observas por primera vez el fondo marino con gafas de submarinista, descubres un mundo fascinante muy diferente del que estamos acostumbrados a ver fuera del agua. El colorido de este mundo acuático se debe sobre todo a las algas superiores.

Algunas hasta parecen plantas, pero no lo son puesto que, aunque son organismos pluricelulares, carecen de tejidos y órganos. Para vivir en el agua no necesitan raíz, ni vasos conductores, ni tejidos que les protejan de la desecación.

UN CUERPO SENCILLO

Las algas superiores que son unicelulares, en general, forman colonias de muchos individuos que viven juntos. El cuerpo de las que son pluricelulares, llamado **talo**, carece de raíces y si se fija al sustrato lo hace mediante **rizoides**.

Numerosos **aditivos** utilizados en la industria alimentaria proceden de las algas, en especial **estabilizadores**, **emulgentes** y **espesantes**.

Muchas algas se cultivan en estanques al aire libre para obtener vitaminas, proteínas y provitaminas.

DIFERENTES TIPOS DE ORGANIZACIÓN DE LAS ALGAS SUPERIORES

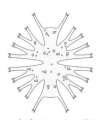

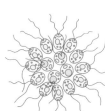

colonia de muchas células independientes unidas por una capa de mucílago

colonia de individuos flagelados que sólo hacen vida libre para reproducirse

cenobio o colonia con un número fijo de células que no varía a lo largo de su vida

colonia de células comunicadas entre sí por puentes, como el *Volvox*

filamento ramificado

tipo parenquimático (laminar)

tipo sifonocladal

tipo sifonal

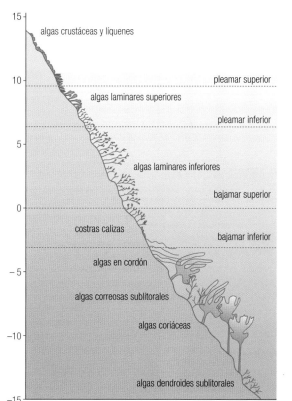

15
algas crustáceas y líquenes
10
pleamar superior
algas laminares superiores
pleamar inferior
5
algas laminares inferiores
bajamar superior
0
costras calizas
bajamar inferior
−5
algas en cordón
algas correosas sublitorales
algas coriáceas
−10
algas dendroides sublitorales
−15

En el acuario, los huevos y larvas encuentran refugio adheridos a las algas.

ALIMENTO Y REFUGIO PARA LOS ANIMALES ACUÁTICOS

Si tienes un acuario en casa, podrás comprobar la importancia que tienen las algas para los peces. En realidad la tienen para infinidad de animales acuáticos, no sólo como alimento y fuente de oxígeno, sino como refugio para adultos, larvas y huevos de todo tipo. Muchos peces y crustáceos que son pescados allí donde no hay algas superiores van a desovar en los "bosques" submarinos.

HASTA DONDE PENETRE LA LUZ

Algunas algas viven fuera del agua, pero necesitan un medio acuático para reproducirse. Sin embargo, la mayoría viven en el agua, hasta donde llega la luz. La profundidad que cada alga puede alcanzar está relacionada con el mínimo de **intensidad luminosa** que necesita para realizar la **fotosíntesis**. Muy pocas algas pueden sobrevivir en la **zona litoral** que queda emergida durante la bajamar, ya que están expuestas a la desecación y a temperaturas extremas.

LAS ALGAS VERDES

Algunas son unicelulares, pero otras presentan verdes talos filamentosos o laminares que parecen hojas. Además de multiplicarse por fragmentación y por esporas, presentan varios tipos de reproducción sexual con **alternancia de generaciones**.

Alga parda del género *Fucus*.

La lechuga de mar es un alga verde que en muchos lugares se consume cruda en ensaladas.

LAS ALGAS PARDAS

Suelen ser de tonalidades pardas debido a un pigmento, la **fucoxantina**, que enmascara la clorofila. Son las algas más grandes y resistentes que existen. Las hay filamentosas; largas, gruesas y babosas; y de gruesas láminas ramificadas, como *Fucus*.

↓

La cosecha mundial de algas pardas alcanza casi los 3 millones de toneladas anuales, procedentes en su mayoría de cultivos de China y Japón.

GIGANTES QUE FLOTAN

Los **kelps** son algas pardas flotantes del género *Macrocystis* que pueden llegar a medir 70 metros de longitud (más que muchos barcos pesqueros). Sus células reproductoras móviles contribuyen poderosamente a la constante regeneración dei fitoplancton sustentador de toda cadena alimentaria acuática.

↓

Hay dos algas que sirven de indicadores de la calidad del agua del mar: la lechuga de mar y la *Cystoseira*. La primera abunda en las zonas polucionadas; la segunda sólo puede vivir en aguas muy poco contaminadas.

El nori es un alga roja del género *Porphyra* que los japoneses cultivan en el mar con fines alimenticios.

LAS ALGAS ROJAS

Además de clorofila y ficocianina, contienen un pigmento rojo llamado **ficoeritrina**. Son algas delicadas, que no resisten las condiciones de la zona de mareas; por eso se encuentran en aguas quietas más profundas.

La utilización de las algas no se reduce a complementar algunos platos; numerosas algas se utilizan en la industria farmacéutica, textil e incluso energética (para la obtención de metano).

LOS HONGOS INFERIORES

Cuando oímos hablar de hongos nos viene la imagen de una seta del tipo de los champiñones que se venden en los comercios de alimentos. Pero, en realidad, los hongos constituyen un reino tan amplio y diverso como el de los animales o las plantas. En él se incluyen otras formas inferiores no tan visibles pero igualmente importantes desde el punto de vista ecológico. Todos los hongos se caracterizan por no ser fotosintéticos. Durante mucho tiempo han sido considerados vegetales simplemente porque **viven fijos en el suelo** o el sustrato y tienen **paredes celulares rígidas**, con la excepción de los mohos mucilaginosos.

LOS MOHOS MUCILAGINOSOS

Son los mohos que recubren las superficies húmedas de madera muerta, paja, hojarasca, estiércol, etc. Se alimentan ingiriendo partículas orgánicas sólidas, esporas, bacterias y otros hongos. Producen **esporas** muy resistentes que, al germinar, dan **células flageladas** (mixamebas y células nadadoras) que pueden llevar vida independiente y acaban funcionando como **gametos**. El cigoto se transforma en un **plasmodio** multinucleado y móvil, gracias a que carece de pared rígida, que se desplaza como una especie de moco y se alimenta por **fagocitosis**.

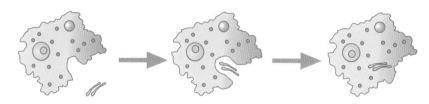

Mixameba fagocitando bacterias.

> La fase más resistente del ciclo vital de los mohos mucilaginosos son las **esporas**. ¡Las hay que sobreviven más de 75 años!

UNA FORMA DE RESISTIR

En condiciones favorables, los **plasmodios** van comiendo y creciendo, pero si les falta humedad o la temperatura se vuelve desfavorable, tienen su propia estrategia para resistir: el plasmodio se convierte en una masa endurecida e irregular llamada **esclerocio**. Así puede resistir hasta tres años. Cuando las condiciones vuelven a ser favorables, el esclerocio se convierte en plasmodio.

CICLO VITAL DE LOS MOHOS MUCILAGINOSOS

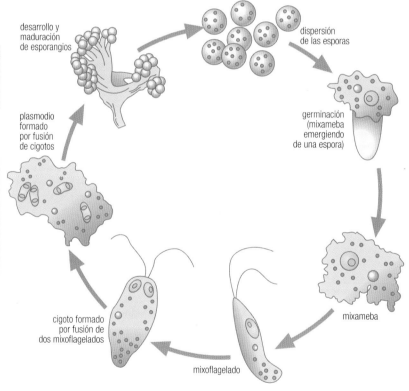

desarrollo y maduración de esporangios

dispersión de las esporas

plasmodio formado por fusión de cigotos

germinación (mixameba emergiendo de una espora)

cigoto formado por fusión de dos mixoflagelados

mixameba

mixoflagelado

A la izquierda, sorocarpo maduro del moho mucilaginoso celular *Dictyostelium*; a la derecha, soltando las esporas.

MOHOS MUCILAGINOSOS CELULARES

A diferencia de los verdaderos mohos mucilaginosos, estos mohos no forman un plasmodio, sino una especie de cuerpo pluricelular que se comporta de forma parecida a un plasmodio (**pseudoplasmodio**). Algunos parecen una babosa diminuta que avanza a una velocidad inferior a 2 mm por hora. Otros son endoparásitos de hongos y plantas.

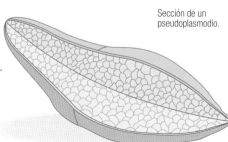

Sección de un pseudoplasmodio.

DIGERIR EL ALIMENTO FUERA DEL CUERPO

Todos los hongos que no son mucilaginosos tienen una curiosa forma de nutrirse. Primero degradan el alimento fuera de su cuerpo mediante sustancias químicas apropiadas (**enzimas**) que ellos mismos producen. Así lo reducen a moléculas pequeñas que pueden absorber a través de su membrana (**difusión**), junto con las moléculas solubles que además pueda haber. Este sistema se denomina **lisotrofia**. A fin de tener mucha superficie de contacto con el **sustrato** en que viven, la mayoría de los hongos tienen su cuerpo formado por una red de filamentos, llamados **hifas**, que en conjunto forman el **micelio** del hongo.

LOS HONGOS TIPO ALGA

Los hongos lisotróficos más simples se parecen más a las algas que al resto de los hongos, entre otras cosas por tener su **pared celular de celulosa** (y no de quitina). Unos son saprófitos y otros son parásitos de algas, hongos, animales acuáticos y plantas. Muchos de estos hongos han desarrollado un sistema especial de transmisión de los núcleos masculinos hasta los femeninos a través de **tubos copuladores**.

Los mohos toleran concentraciones salinas y de azúcar mucho más elevadas que las que resisten las bacterias. Por esto alguna vez habrás visto mohos en un tarro de mermelada que lleva un tiempo abierto.

DEPENDER DEL AGUA PARA COMER

Nunca verás un hongo en un sitio seco ya que, para poder alimentarse, los hongos necesitan la presencia de agua entre sus hifas y el sustrato. Sólo así los enzimas y los productos solubles resultantes de la "digestión externa" del sustrato se pueden difundir en uno y otro sentido.

NUTRICIÓN POR DIGESTIÓN EXTERNA, O LISOTROFIA

Los hongos tipo alga, al igual que los hongos superiores (en este dibujo), utilizan la lisotrofia para nutrirse.

macromolécula
orgánica insoluble

enzima A

hifa

enzima B

absorción por las hifas

productos
intermedios

moléculas solubles

micelio del hongo

Hay hongos que resisten temperaturas muy bajas, por lo que ni siquiera los alimentos refrigerados están a salvo de los mohos.

Es fácil observar hongos en muchos rincones de los bosques húmedos.

LOS HONGOS SUPERIORES

Los hongos mejor adaptados a la vida terrestre, llamados hongos superiores, se caracterizan porque su pared, con pocas excepciones, contiene **quitina** (como el esqueleto externo de los insectos). Además, sólo estos hongos, y ningún otro tipo de ser vivo, presentan en su ciclo vital una **fase dicarió-**tica, cuyas células poseen dos núcleos haploides (con un solo juego de cromosomas). Se alimentan por **digestión externa** y en su mayoría transforman una parte de su cuerpo en órgano reproductor, el **carpóforo**, vulgarmente llamado **seta**.

COLONIZADORES DE EXCREMENTOS

Muchos hongos que con sus hifas invaden los excrementos de animales herbívoros, como los caballos y las vacas, crecen muy rápidamente. La reproducción sexual la realizan poniéndose en contacto dos **hifas compatibles** (**cigóforos**), cuyos extremos se hinchan formando **progametangios**. Un tabique delimitará un **gametangio** en cada uno de ellos. Y ambos gametangios se fusionan formando una **cigóspora** de la que saldrá un **esporangio germinal**.

Dado el ínfimo peso de las esporas, se ha calculado que cada espora puede dar varias veces la vuelta a la Tierra, transportada por el viento, antes de depositarse en el suelo.

Los hongos más fáciles de cultivar son los saprófitos, como el **champiñón**, que ya crece espontáneamente sobre los excrementos de caballo.

CICLO VITAL DE UN HONGO DEL GÉNERO *MUCOR* QUE CRECE SOBRE EXCREMENTOS DE ANIMALES

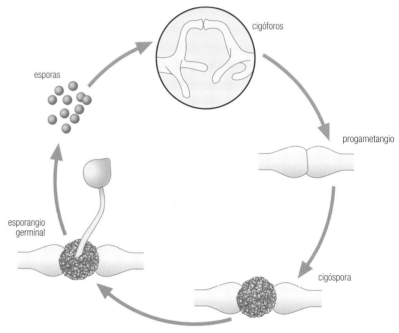

cigóforos

esporas

progametangio

esporangio germinal

cigóspora

HONGOS TIPO SACO

Son los hongos que forman sus **esporas** dentro de estructuras en forma de pequeños sacos llamadas **ascas**; por esto se denominan **ascomicetes**. Sus hifas suelen presentar **tabiques perforados** que permiten la comunicación entre los compartimentos. En la mayoría de estos hongos, la reproducción sexual implica la formación de un tipo de esporas llamadas **conidios**, que se desprenden de los extremos de hifas especiales llamadas **conidióforos**. Los conidios, a veces llamados "esporas de verano", son un medio de propagación rápida.

Corte transversal del ascocarpo (izquierda) y detalle de conidióforo (derecha).

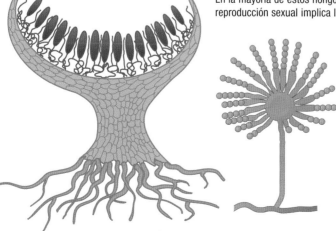

Un perro adiestrado para este menester, e incluso un cerdo, son buenos buscadores de la apreciada trufa, un hongo ascomicete.

HONGOS TIPO CLAVA

Son los hongos más conocidos, que forman sus esporas en células hifales engrosadas en forma de maza o clava, llamadas **basidios**. Las esporas (**basidiósporas**) aparecen, en número de cuatro, en la punta del basidio y se desarrollan por fuera (no por dentro, como en el asca). Las **setas** son los **carpóforos** o cuerpos fructíferos del hongo. Cuando alcanzan la madurez, se abre el **sombrerillo** y en sus **láminas** inferiores se hallan los basidios.

El hongo *Clavaria aurea* o pie de rata.

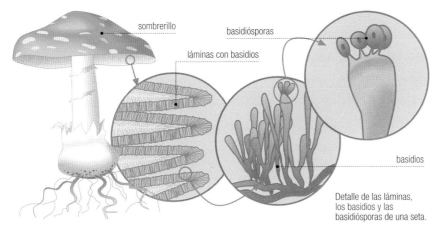

sombrerillo

basidiósporas

láminas con basidios

basidios

Detalle de las láminas, los basidios y las basidiósporas de una seta.

¡PELIGRO!

Seguro que habrás oído hablar de intoxicación por ingerir setas venenosas. Todos los años muere alguna persona por confundir ciertas especies venenosas con otras que son comestibles. La más tóxica de todas las setas es la **oronja verde** (*Amanita phalloides*), también llamada "ángel de la muerte". El sabroso **níscalo** (*Lactarius deliciosus*) tiene un "doble" (*Lactarius chrysorrheus*) que no distinguirías con la vista del verdadero níscalo. Se trata de una seta que produce fuertes trastornos digestivos. Para asegurarse, los recolectores de setas poco expertos rascan las láminas (¡no con el dedo!) bajo el sombrero: del comestible sale una sangre de color zanahoria; del tóxico, un látex blanco.

Las babosas consumen sin problemas el "ángel de la muerte" (*Amanita phalloides*). ¡Su capacidad para resistir el veneno de este hongo es aproximadamente mil veces la del hombre!

HONGOS IMPERFECTOS PERO MUY ÚTILES

Muchos hongos, tanto ascomicetes como basidiomicetes, carecen de reproducción sexual, por lo que se llaman **hongos imperfectos** (o **deuteromicetes**). Entre ellos se encuentran varias especies saprófitas que producen sustancias que son tóxicas para ciertas bacterias y otros microbios que compiten por el mismo alimento. En los laboratorios se cultivan estos hongos para obtener estas sustancias, que son los **antibióticos**, y utilizarlas para combatir enfermedades producidas por bacterias. Otras especies se utilizan para la **maduración de quesos** como el Roquefort y el Camembert.

En 1928, el médico británico Alexander Fleming observó que en uno de sus cultivos de bacterias había surgido un moho, el deuteromicete *Penicillium notatum*, que no dejaba crecer las bacterias. Fleming supuso que el hongo producía una sustancia dañina para las bacterias. Había descubierto la penicilina.

CÓMO BUSCAR TRUFAS

Si no tienes un **perro trufero** que te localice estos hongos tan apreciados que se crían bajo tierra, puedes encontrarlos por otro método muy curioso. En primer lugar tienes que conocer una mosca amarilla y negra, conocida como **«mosca trufera»** (*Helomyza tartufifera*), que necesita la trufa para desarrollar sus larvas. Basta observar los puntos en los que se levanta esta mosca del suelo, donde ha ido a poner sus huevos. ¡Allí está la trufa!

CORRO DE BRUJAS

Cuando una espora cae sobre un suelo adecuado, germina y el micelio va ramificándose y extendiéndose en forma de círculo. A medida que el círculo se amplía, la parte central del micelio, más vieja, muere, con lo que éste adquiere forma de anillo. Los cuerpos fructíferos, las setas, lo delatan ya que surgen del micelio vivo formando lo que tradicionalmente se ha llamado un "corro de brujas".

LOS HONGOS PARÁSITOS

Es difícil pensar en los hongos sin asociarlos al parasitismo, ya que casi todos los seres vivos del planeta pueden ser parasitados por alguna especie de hongos. Cualquier actividad basada en el cultivo de plantas o en la cría de animales tiene que enfrentarse a los problemas que puedan crear los hongos parásitos. Sólo si has tenido un acuario, sabrás que ellos son sus peores enemigos.

PARÁSITOS DE PLANTAS CULTIVADAS

Los hongos causan muchas enfermedades graves a las plantas y pueden acabar destruyendo por completo los cultivos. Por lo general, las plantas se infectan después que los tubos de germinación de las hifas penetran a través de los estomas de las hojas o bien a través de heridas en el tronco o en los tallos.

CHANCRO Y LEPRA

La **lepra del melocotonero** se presenta en forma de abolladuras en las hojas; éstas se retuercen, se abolsan y acaban cayendo; los frutos, por su parte, no se desarrollan y caen del árbol. El **chancro** es una enfermedad producida por un hongo que penetra por las heridas de troncos y ramas, produciendo llagas que llegan a alcanzar el cilindro central.

La **podredumbre de la raíz** mata sin piedad a muchas plantas. La corteza de la raíz se desprende fácilmente y aparecen manchas blancas unidas por cordones del micelio del hongo.

La roña o moteado del peral y el manzano aparece primero en las hojas bajo la forma de manchas pardas. Luego el fruto se deforma y las zonas atacadas se acorchan y agrietan. En el dibujo, aspecto muy aumentado de una mancha de roña.

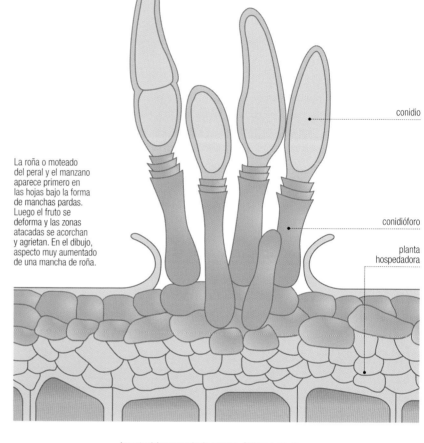

conidio

conidióforo

planta hospedadora

El carbón del maíz se manifiesta por la aparición de tumores del tamaño de un puño, que están rellenos de un polvo negro que son las esporas del hongo.

Aspecto del cornezuelo de centeno. Si llega a mezclarse en cantidad en la harina utilizada para elaborar pan, puede causar graves trastornos psíquicos.

PARÁSITOS DE LOS ANIMALES

Hay hongos que causan a los animales y a los seres humanos infecciones superficiales en las que sólo infectan la piel, el pelo o las uñas, como en el caso de la tiña y el pie de atleta en las personas. Pero otros invaden órganos internos y causan enfermedades más graves. Uno de estos hongos infecta a la mosca doméstica. Su micelio crece dentro del cuerpo del insecto, utilizando sus proteínas. El animal muere al cabo de una semana.

A veces la **especialización de los hongos parásitos** les lleva a un punto tal que el parásito, por ejemplo de una especie de escarabajos, sólo es capaz de crecer en las patas del animal.

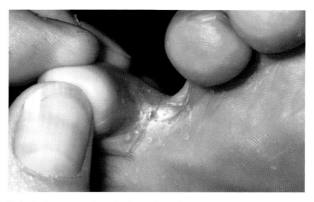

El pie de atleta es una enfermedad de la piel que afecta principalmente a los dedos de los pies, y es debida a un hongo.

HONGOS QUE CAZAN

Parece imposible que un vegetal pueda actuar como un animal depredador. Pero ciertos hongos imperfectos "cazan" **nematodos**, unos gusanos del suelo que causan estragos en las raíces de las plantas. El hongo actúa con su micelio. Al pasar uno de estos gusanos, forma uno o varios anillos y atrapa a la víctima. Luego introduce sus hifas en el cuerpo de la presa y actúa como los demás hongos parásitos. Otros hongos tienden trampas a invertebrados muy pequeños y a microbios.

HONGO CAZADOR DE GUSANOS NEMATODOS

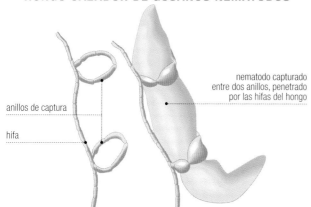

nematodo capturado entre dos anillos, penetrado por las hifas del hongo

anillos de captura

hifa

Desde que las plantas son muy pequeñas (aquí un vivero) son atacadas por los parásitos. Desde ese momento deben aplicarse plaguicidas.

PARÁSITOS ÚTILES

Algunos hongos parásitos de ciertos animales perjudiciales para los seres humanos, como puede ser una plaga agrícola, son utilizados para evitar la propagación del animal dañino. Este sistema de combatir las plagas recibe el nombre de **lucha biológica**, que tiene la ventaja sobre la lucha química de no contaminar el medio ambiente. Basta causar la infección artificialmente con esporas del hongo parásito adecuado, o bien directamente, al igual que se hace con los insecticidas, o bien introduciendo individuos previamente infectados en el laboratorio.

Los pulgones constituyen una plaga para muchos frutales, hortalizas y plantas ornamentales. Para combatirlos se utiliza un hongo primo hermano del que parasita la mosca doméstica.

Los hongos tienen una gran vocación de parásitos. No te extrañe ver en el bosque setas en cuyo sombrero se han desarrollado otros hongos más pequeños que **parasitan a sus propios parientes**.

HONGOS HERBICIDAS

Uno de los grandes problemas que siempre han tenido los agricultores son las malas hierbas que compiten con las plantas cultivadas. El método de lucha para eliminarlas o controlarlas se basa en pulverizaciones con herbicidas químicos; pero ya se empiezan a utilizar hongos parásitos. Claro que el hongo-herbicida tiene que ser muy específico e infectar únicamente a la mala hierba, sin dañar a los cultivos ni al medio ambiente que los rodea, incluidas las personas. El hongo-herbicida se cultiva en los laboratorios y se aplica igual que un herbicida químico.

LOS HONGOS SIMBIONTES

Muchos de esos seres de bellos coloridos que ves tapizando rocas desnudas, tejados, muros, troncos muertos y otros sitios insólitos no son organismos individuales, sino asociaciones íntimas entre un hongo y un alga llamadas **líquenes**. Este tipo de **simbiosis** también la practican los hongos con las raíces de las plantas, formando **micorrizas**, y hasta con animales, especialmente con insectos.

ASOCIARSE CON ALGAS

En un **liquen**, el **hongo** rodea con sus **hifas** al **alga** y emite **haustorios** al interior de sus células. Se trata de una **simbiosis** en la que el alga, mediante fotosíntesis, produce alimento para ambos socios y a cambio obtiene agua y minerales a partir del hongo, así como protección contra la desecación.

ricinas

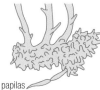
papilas

cilios

venas

Con excepción de las formas crustáceas, los líquenes poseen apéndices en algún sitio del cuerpo. Si surgen de la cara inferior, sirven para sujetar el talo al sustrato.

Los "musgos" con los que se alimentan los renos y caribús de las regiones árticas son en realidad líquenes.

TIPOS DE LÍQUENES

Según la forma de crecer el talo o cuerpo del liquen, hay cuatro tipos básicos de líquenes:

- líquenes crustáceos;
- líquenes escuamulosos;
- líquenes fruticulosos;
- líquenes de talo compuesto.

Cuando un liquen se seca, se suspende la fotosíntesis y el organismo entra en un estado de **latencia** que le permite soportar condiciones muy adversas.

LOS PIONEROS

Los líquenes sobreviven dondequiera que pueda haber vida, ya que resisten condiciones extremas de temperatura y humedad. Se encuentran líquenes en las selvas ecuatoriales y en regiones boreales donde no puede vivir ninguna planta. Junto con las algas verdeazuladas, son los pioneros en la **colonización de las rocas desnudas**: las van degradando poco a poco y facilitan su desintegración por el viento y la lluvia. Así se empiezan a formar los **suelos** en los que podrán crecer otras plantas.

INDICADORES DE CONTAMINACIÓN

Si vas a un sitio y ves muchos líquenes, puedes estar seguro de que respiras aire puro. Los líquenes son los vegetales más sensibles a la contaminación atmosférica, dado que los componentes tóxicos del aire les destruyen la clorofila. No encontrarás líquenes en una ciudad industrial.

Los líquenes crecen (en extensión) menos de 1 mm cada año. Se cree que algunos líquenes tienen varios miles de años de edad.

El color rojo púrpura de las túnicas romanas se obtenía a partir de sustancias extraídas de los líquenes llamados **urchillas**.

SUSTANCIAS Y COLORES VALIOSOS

Desde la antigüedad, los seres humanos han utilizado las **sustancias liquénicas** en **medicina**. Hoy se usan en farmacia por sus propiedades antibióticas, antivirales, anticancerígenas y antiinflamatorias. Los líquenes también han sido muy buscados para elaborar **tintes naturales** de toda clase de colores y para utilizarlos en el campo de la **perfumería** de calidad por el aroma a tierra fresca que desprenden.

ASOCIARSE CON PLANTAS

Afortunadamente, el gran daño que causan a las plantas los hongos parásitos queda compensado con el gran beneficio que resulta de la asociación de otros **hongos simbiontes** con las **raíces** de la mayoría de las plantas. En esta forma de **simbiosis**, llamada **micorriza**, el hongo beneficia a la planta al descomponer la materia orgánica del suelo, poniendo ciertos minerales a disposición de las raíces. Éstas, por su parte, dan al hongo azúcares y otras sustancias orgánicas útiles.

En las **micorrizas**, las plantas unidas a un mismo micelio compiten a través de su habilidad para captar los nutrientes absorbidos por el hongo y para tratar de ceder a éste menos azúcares que sus competidoras.

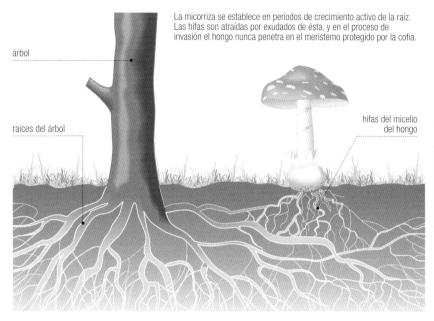

La micorriza se establece en períodos de crecimiento activo de la raíz. Las hifas son atraídas por exudados de ésta, y en el proceso de invasión el hongo nunca penetra en el meristemo protegido por la cofia.

árbol

raíces del árbol

hifas del micelio del hongo

no arrancar   no escarbar   sólo cortar

NO DAÑAR LAS MICORRIZAS

Si vas al bosque a recolectar setas, no olvides la importancia ecológica que tienen, ya que casi todas forman micorrizas con las plantas del bosque. No debes arrancarlas ni excavar la tierra al pie de ellas, pues dañarías el micelio del hongo. Lo ideal es cortar el carpóforo, es decir, la seta, por la base del pie. De esta manera el micelio queda intacto bajo el suelo, seguirá extendiéndose y emitirá nuevos carpóforos.

ASOCIARSE CON INSECTOS

¡Hasta con animales son capaces de asociarse los hongos! Los casos más interesantes son de simbiosis entre hongos e insectos. Las **hormigas cortadoras de hojas** de América tropical cultivan auténticos **"huertos de hongos"** en cámaras especiales que tienen dentro de sus nidos. En ellas acumulan hojas trituradas y excrementos donde se desarrolla el micelio del hongo. Las hormigas se alimentan de hifas especiales muy nutritivas, sin dañar el resto del hongo. ¡Y las obreras se cuidan de mantener el huerto limpio de "malas hierbas"!

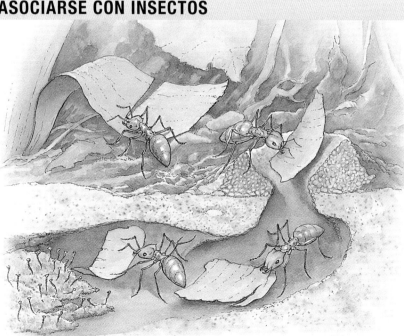

Hormigas cortadoras de hojas en plena faena.

LOS MUSGOS Y LAS HEPÁTICAS

En los lugares húmedos es donde encontrarás los musgos, esas plantas bajitas que tapizan las rocas, rellenan grietas o recubren la corteza rugosa de los troncos. Son las plantas terrestres más sencillas y primitivas, que no están completamente adaptadas a vivir en tierra firme porque no tienen verdaderas raíces, ni semillas resistentes a la sequía.

EL SIGNIFICADO DEL EMBRIÓN

Para independizarse del medio acuático, los vegetales tuvieron que "inventar" el **embrión**. Efectivamente, en el ciclo vital de las plantas terrestres, los óvulos fecundados o **cigotos** son retenidos dentro de los órganos sexuales femeninos. De esta manera, obtienen el agua y los nutrientes de los tejidos maternos que los rodean y permanecen protegidos de la deshidratación hasta que empiezan a desarrollarse. Un embrión, pues, no es más que un cigoto protegido sin desarrollar. En los musgos y helechos se desarrolla sobre la planta madre (**gametófito**), pero en las plantas con semillas se desarrolla en libertad.

MUSGOS

Las plantitas que llamamos musgos son la generación gametofítica de la planta. Suelen ser perennes. El esporófito, en cambio, es muy simple, depende del gametófito y siempre es anual y efímero.

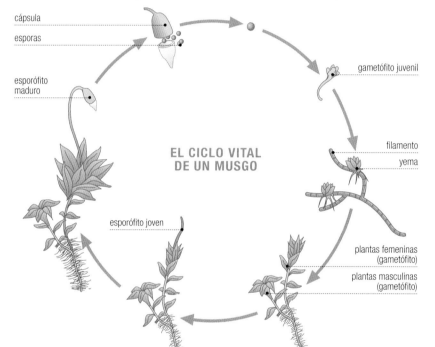

cápsula
esporas
esporófito maduro

EL CICLO VITAL DE UN MUSGO

gametófito juvenil
filamento
yema
plantas femeninas (gametófito)
plantas masculinas (gametófito)
esporófito joven

FORMACIÓN DE UNA TURBERA DE ESFAGNOS

esfagno

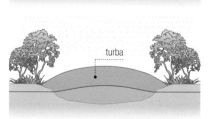

turba

AGUA PARA REPRODUCIRSE

El musgo necesita una gran cantidad de agua o humedad para desarrollarse.

Las plantas que en su ciclo de vida pasan por el estado de embrión pero sin desarrollar semilla, como los musgos, no están totalmente independizadas del medio acuático. Necesitan el agua como vehículo para que los **gametos masculinos** alcancen las **oosferas** y las fecunden. Por ese motivo los musgos y las hepáticas viven en sitios húmedos y la fecundación corre a cargo de la lluvia o el rocío.

¿QUÉ ES LA TURBA?

Esta especie de tierra negra esponjosa y ligera que se utiliza como sustrato para las plantas criadas en maceta se llama turba. Es un material carbonoso constituido por restos vegetales a medio descomponer, que se van acumulando en suelos encharcados, es decir, sin oxígeno. Pero los **esfagnos** y otros musgos generan turba sin necesidad de agua encharcada: a medida que crecen por el ápice, van muriendo por la base, que se va convirtiendo en turba porque retiene el agua de lluvia mucho tiempo.

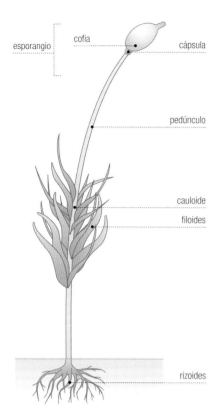

esporangio
cofia
cápsula
pedúnculo
cauloide
filoides
rizoides

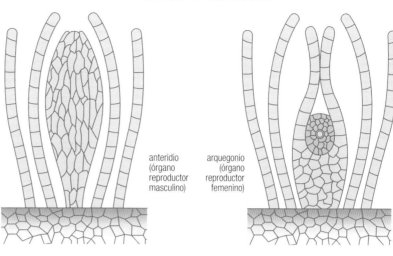

anteridio
(órgano
reproductor
masculino)

arquegonio
(órgano
reproductor
femenino)

EL CUERPO DE LOS MUSGOS

Los musgos carecen de vasos conductores de la savia y de tejidos de sostén. No tienen un verdadero tallo ni hojas propiamente dichas, y en lugar de raíces tienen **rizoides** mediante los cuales se sujetan al sustrato. Pero pueden absorber agua y nutrientes a través de cualquier célula de su cuerpo o **talo**. Los musgos jamás miden más de un palmo de altura. Lo que vulgarmente se llama "fruto" del musgo es el esporófito, que consta de un pedúnculo (**seta**) en cuyo extremo se forma un esporangio provisto de una abertura por donde la planta libera las esporas cuando hay oportunidad de que el viento las disperse.

ESPONJAS VIVIENTES

Tal vez te ha llamado la atención que los vendedores de plantas ornamentales a veces utilizan musgos para empaquetar las raíces de ciertas plantas. Se trata de unos musgos capaces de absorber y retener grandes cantidades de agua. Son ideales para mantener húmedas las raíces hasta que la planta es colocada en el sitio definitivo.

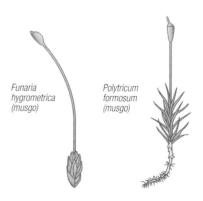

LAS HEPÁTICAS

Son aún más simples que los musgos. El cuerpo suele ser un talo aplanado o una especie de tallo cubierto de dos filas laterales de filoides sin nervios. Dentro de los esporangios poseen unas células especiales, llamadas **eláteres**, que facilitan la dispersión de las esporas. Muchas hepáticas son acuáticas y viven en las inmediaciones de las fuentes. Otras son epífitas que viven sobre los troncos, ramas y hojas de las selvas tropicales lluviosas.

 Los musgos comparten con los líquenes el papel de pioneros en la colonización de áreas desnudas y de indicadores de contaminación.

En sitios secos y áridos también crecen musgos, pero se pasan la mayor parte de su vida en forma de espora. Cuando cae un chubasco, se desarrollan y mueren al poco tiempo.

Hay musgos que pueden almacenar hasta 20 veces su peso seco en agua.

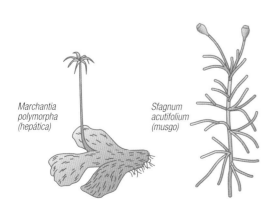

Marchantia polymorpha (hepática)

Sfagnum acutifolium (musgo)

Plagiothecium undulatum (musgo)

Funaria hygrometrica (musgo)

Polytricum formosum (musgo)

HELECHOS, LICOPODIOS Y COLAS DE CABALLO

Los helechos se distinguen muy fácilmente de las demás plantas por estas hojas tan peculiares que tienen, llamadas **frondes**. Se utilizan mucho como plantas ornamentales en el interior de las casas, pero también los encontrarás en la naturaleza junto a las fuentes y lugares húmedos. Algunos se parecen a ciertos musgos o hepáticas. Sin embargo, hay una gran diferencia entre ambos grupos de plantas: las hojas de los helechos tienen **vasos conductores**, las de los musgos no. Los helechos son **plantas vasculares**; los musgos no lo son.

LOS VASOS CONDUCTORES Y LA LIGNINA

Se puede decir que uno de los pasos más importantes que dieron las plantas a lo largo de su historia evolutiva fue el desarrollo de vasos conductores (**floema** y **xilema**) y la capacidad de sintetizar **lignina**, la sustancia que proporciona rigidez a la planta permitiéndole permanecer erguida en tierra firme y estar protegida de los herbívoros. Las primeras plantas que dieron este paso fueron los helechos.

LA FRONDE DE LOS HELECHOS

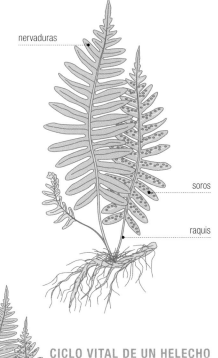

nervaduras

soros

raquis

Lo que nos permite distinguir si una planta es un helecho son sus hojas o frondes, que se van desenrollando conforme crecen. En general, son hojas compuestas con las masas arracimadas de **esporangios**, llamadas **soros**, en el envés. Y tienen las **nervaduras** características de las plantas vasculares.

BOSQUES DE HELECHOS

Tal vez te parezca extraño que los helechos que ves habitualmente sean tan bajitos. También hay **helechos arborescentes**, pero en lugares muy contados del mundo, porque la mayoría de ellos desaparecieron hace millones de años, cuando aparecieron los árboles modernos, mejor adaptados a las condiciones ambientales reinantes. Antes de aparecer estos árboles, la mayoría de los bosques del planeta eran de helechos, licopodios y colas de caballo.

LOS HELECHOS Y LA HUMEDAD

¿Por qué sólo se ven helechos en los sitios húmedos? Los motivos son los mismos que tienen los musgos: para reproducirse todavía necesitan el agua. Los **anterozoides** que son liberados de los **anteridios** después de una lluvia, al poseer flagelos, nadan hacia los **arquegonios** y fecundan el **óvulo**, originando el **cigoto**.

Las esporas liberadas por los esporangios situados en las frondes germinan y dan lugar a un gametófito que en su madurez origina gametangios masculinos (anteridios) y femeninos (arquegonios).

La planta que llamamos helecho es el esporófito. El gametófito, llamado protalo, es muy pequeño y normalmente no lo vemos.

El cigoto resultante de la fecundación del óvulo da lugar a un embrión que se independiza del gametófito cuando emite las primeras raíces y hojas.

Una gran parte del **carbón de hulla** que los seres humanos han extraído del subsuelo tiene su origen en los cadáveres de árboles de helechos, licopodios y colas de caballo que vivieron hace muchos millones de años.

CICLO VITAL DE UN HELECHO

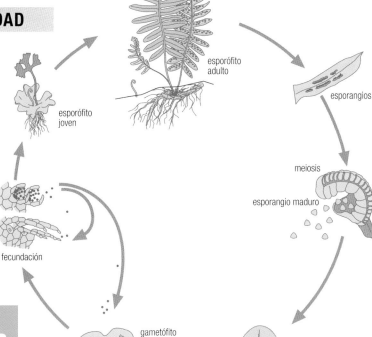

esporófito adulto

esporangios

esporófito joven

meiosis

esporangio maduro

fecundación

gametófito maduro

espora

LOS LICOPODIOS

Pertenecen al grupo de los helechos, pero presentan diferencias notables. Constan de un tallo reptante del que surgen tallos erectos cubiertos de pequeñas hojas delgadas, planas y dispuestas en espiral, llamadas **microfilos**. En la punta de estos tallos se encuentran los **esporofilos** u hojas especializadas dispuestas como en los conos del pino, sobre las cuales se forman los **esporangios**.

ESPORAS Y FUEGOS ARTIFICIALES

Si te acercas a un **licopodio** con los esporangios abiertos, basta que sacudas ligeramente la planta sobre un papel y recogerás lo que se llama **azufre vegetal**. Son las **esporas** amarillentas del licopodio. Si las echas sobre una llama, producen una llamarada espectacular al ser muy inflamables. El azufre vegetal se ha usado mucho en la confección de fuegos artificiales.

LICOPODIO TÍPICO

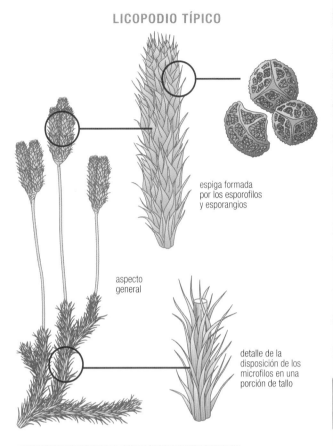

espiga formada
por los esporofilos
y esporangios

aspecto
general

detalle de la
disposición de los
microfilos en una
porción de tallo

LAS COLAS DE CABALLO

Los equisetos, o colas de caballo, son también parientes muy próximos de los helechos. El **esporófito** de estas plantas está formado por un **rizoma** horizontal subterráneo y ramificado a partir del cual surgen los tallos aéreos articulados que han dado el nombre a estas plantas. De los **nudos** de estos tallos salen anillos de pequeñas ramas con hojitas en forma de escama. Las esporas se hallan dentro de los **estróbilos** que aparecen en la punta de algunas ramas.

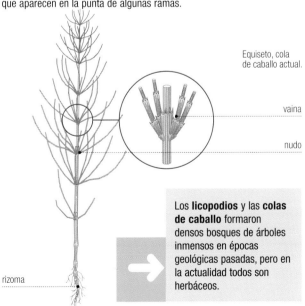

Equiseto, cola
de caballo actual.

vaina

nudo

rizoma

Los **licopodios** y las **colas de caballo** formaron densos bosques de árboles inmensos en épocas geológicas pasadas, pero en la actualidad todos son herbáceos.

ESTROPAJOS DE COLA DE CABALLO

Antes de que se inventaran los estropajos modernos de aluminio y la fibra de acero, las colas de caballo se usaban para fregar pucheros y sartenes, así como para pulir metales. Su acción abrasiva se debe a los depósitos de **sílice** presentes en la **epidermis** de estas plantas.

Los helechos se encuentran por lo general en lugares húmedos, mezclados con otras plantas y árboles.

LAS PLANTAS CON SEMILLAS DESNUDAS

La mayoría de las plantas que ves habitualmente son plantas con semilla, ya que son las que hoy dominan las tierras emergidas del planeta. Esto es así porque pueden realizar la **fecundación en el aire** mediante la **polinización**, con lo que se hace innecesaria la presencia de agua superficial para la reproducción. Sin embargo, hay diferencias entre el sistema reproductor de un pino y el de un cerezo. El primero tiene las semillas desnudas; el cerezo las tiene encerradas en un fruto, la cereza.

LAS CONÍFERAS

Las plantas con semillas desnudas reciben el nombre de **gimnospermas**, pero en la actualidad la inmensa mayoría de estas plantas son **coníferas**, nombre que deben a su principal característica: los conos en los que tienen dispuestos sus órganos reproductores. Normalmente, las coníferas tienen conos masculinos y femeninos en el mismo individuo, es decir, son **monoicas**. Todas son leñosas (árboles o arbustos) y en su mayoría, de hoja perenne. No producen las típicas flores, y sus semillas están simplemente insertadas en piñas leñosas.

CONO MASCULINO DEL PINO

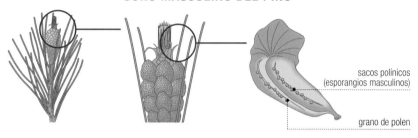

sacos polínicos (esporangios masculinos)

grano de polen

→ El grano de polen de las coníferas puede tardar más de un año en formar el tubo polínico. De manera que entre la polinización y la fecundación puede mediar mucho tiempo.

PARTES DE UNA PIÑA O CONO FEMENINO

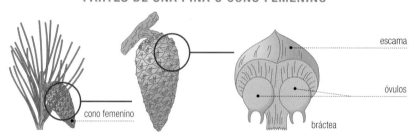

escama

óvulos

cono femenino

bráctea

EL "INVENTO" DE LA POLINIZACIÓN

La unión de los **gametos** masculinos y femeninos por polinización fue una verdadera revolución en el mundo vegetal, y sólo fue posible con el desarrollo del **tubo polínico**. Cuando el polen pasa entre las **escamas** de un **cono femenino**, éstas se cierran y el **grano de polen** empieza a **germinar**, se alarga emitiendo un tubo que alcanza la oosfera, donde son liberados los núcleos espermáticos o anterozoides. Uno fecunda a la **oosfera** y queda constituido el **cigoto**, que se convierte en una **semilla** dotada de alas y nutrientes, lista para ser dispersada por el viento.

CICLO VITAL DE UNA CONÍFERA COMO EL PINO

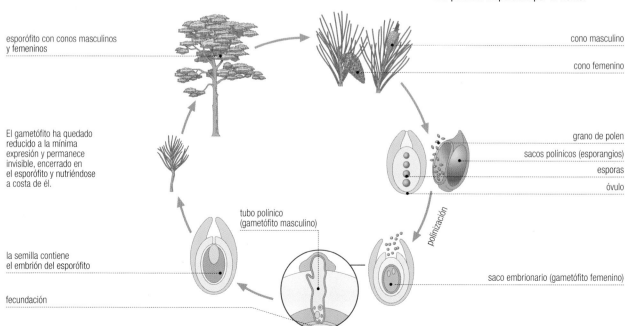

esporófito con conos masculinos y femeninos

El gametófito ha quedado reducido a la mínima expresión y permanece invisible, encerrado en el esporófito y nutriéndose a costa de él.

tubo polínico (gametófito masculino)

la semilla contiene el embrión del esporófito

fecundación

cono masculino

cono femenino

grano de polen

sacos polínicos (esporangios)

esporas

óvulo

polinización

saco embrionario (gametófito femenino)

UNA HOJA ESPECIAL

Sólo unas pocas coníferas son de hoja caduca. La mayoría permanecen siempre verdes y tienen un follaje bien adaptado para soportar veranos calurosos y secos e inviernos fríos. Esta adaptación consiste en tener muchas hojas pero muy pequeñas y coriáceas, protegidas por una espesa cutícula. Pueden tener forma de aguja o de escama, o bien ser aplanadas.

DIVERSOS TIPOS DE HOJAS DE CONÍFERAS

acículas (o agujas) de pino

hojas escuamiformes del ciprés

hojas aplanadas del tejo

ALGUNAS FAMILIAS DE CONÍFERAS

Familia	Especie
Pináceas	Pino, abeto, picea, cedro, alerce
Araucariáceas	Araucaria
Taxodiáceas	Secuoya, ciprés de los pantanos
Cupresáceas	Ciprés, tuya, enebro, sabina
Podocarpáceas	Podocarpo
Taxáceas	Tejo

Todos los órganos del **tejo** son venenosos con la excepción de la **cúpula roja carnosa** que cubre la semilla. Incluso la semilla que hay dentro de esta cúpula es venenosa.

FAMILIAS DE CONÍFERAS

Aunque todas las coníferas tienen muchos aspectos comunes, los botánicos las agrupan en una serie de familias. Algunas de estas familias no están representadas en todos los continentes; pero es fácil conocerlas porque todas las coníferas son muy decorativas y están presentes en los parques y jardines de todo el mundo.

SUPERVIVIENTES DE ÉPOCAS REMOTAS

Las **cicas** y los **ginkgos** son plantas muy utilizadas en las ciudades porque son muy decorativas. También son plantas con semillas desnudas, pero no son coníferas: pertenecen a grupos de plantas que abundaron hace millones de años y hoy están casi extinguidas. Las cicas se parecen a las palmeras, aunque no crecen tanto. Las hojas del ginkgo tienen forma de abanico y en otoño se vuelven amarillas antes de caer.

El abeto de Douglas, que se encuentra sobre todo en América del Norte, llega a alcanzar los 90 m de altura.

El elegante ciprés presenta un tronco muy recto y una copa fusiforme y alargada. Suele adornar jardines y cementerios.

La sabina es una planta arbustiva que puede llegar a los 10 m y vivir cientos de años.

LAS DICOTILEDÓNEAS

No siempre ha habido plantas con flores sobre la superficie de la Tierra. Estas plantas, llamadas **angiospermas**, aparecieron en tiempos de los dinosaurios en un intento de adaptarse mejor a las condiciones terrestres. A diferencia de las gimnospermas portadoras de semillas desnudas, las angiospermas encierran sus semillas en el interior de un fruto. En muchas de ellas el **embrión** contenido en la semilla sólo tiene una hoja o **cotiledón**, pero todavía son más las que presentan un embrión con **dos cotiledones**, por eso reciben el nombre de **dicotiledóneas**.

NUEVOS INVENTOS PARA ECONOMIZAR ENERGÍA

El cono femenino de una conífera es una inversión que la planta realiza tanto si hay fecundación como si no la hay. Una angiosperma, en cambio, no empieza a invertir energía de forma notable hasta que la fertilización no está garantizada. Sólo cuando se ha producido fecundación, la semilla madura (y la flor se marchita), formando el embrión y los nutrientes necesarios para los primeros pasos de su desarrollo.
A continuación, la semilla madura puede quedar en el interior de una amplia gama de frutos.

LA FLOR PERFECTA

Las dicotiledóneas suelen tener flores con órganos reproductores masculinos (estambres) y femeninos (pistilos), es decir, **flores perfectas**, aunque hay excepciones. Esta propiedad facilita la polinización y la autofecundación.

LAS FRONDOSAS

Son los árboles que pierden las hojas en otoño y brotan nuevamente en primavera, llamados **caducifolios**. Sus hojas son planas, tiernas, relativamente grandes y con la cutícula muy fina. Como todas las plantas dicotiledóneas, no sólo crecen en altura, sino también en grosor, al igual que las coníferas.

CICLO VITAL DE UNA DICOTILEDÓNEA COMO EL MANZANO

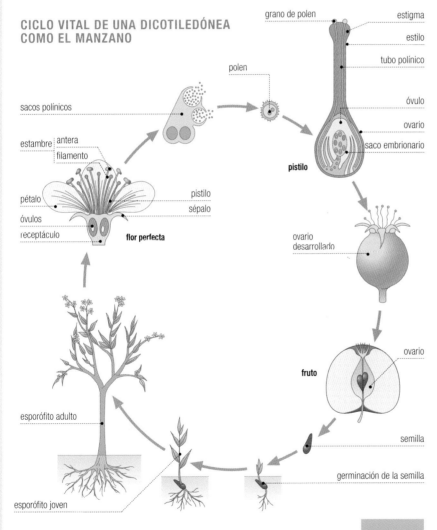

grano de polen
estigma
estilo
tubo polínico
polen
óvulo
ovario
saco embrionario
pistilo
sacos polínicos
estambre / antera
filamento
pétalo
pistilo
sépalo
óvulos
receptáculo
flor perfecta
ovario desarrollado
ovario
fruto
esporófito adulto
semilla
germinación de la semilla
esporófito joven

Casi todas las plantas leñosas (árboles y arbustos) son dicotiledóneas.

La gran ventaja de las plantas con flores radica en que son capaces de crecer y generar semillas con rapidez. Las coníferas son más lentas.

El haya es un buen ejemplo de caducifolio. En otoño, sus hojas amarillean y caen. Forma bosques muy hermosos.

FRONDOSAS PERO SIEMPRE VERDES

Allí donde la benignidad del clima permite una actividad biológica continua, tanto por las buenas temperaturas como por la humedad favorable, las frondosas no pierden la hoja y se vuelven **perennifolios**, como ocurre en las selvas tropicales.

LOS PERENNIFOLIOS DE HOJA CORIÁCEA

En los climas de tipo mediterráneo, las dicotiledóneas como la encina y los arbustos que la acompañan, así como un gran número de plantas aromáticas, también se mantienen siempre verdes, pero tienen las hojas pequeñas y coriáceas. Al igual que las frondosas de hoja persistente, van perdiendo hojas a lo largo de todo el año, pero en número reducido y las van renovando constantemente.

Mediante sangría, del árbol del caucho, o hevea, se obtiene el látex; de la vulcanización del caucho se obtenían antiguamente los neumáticos para vehículos.

Del olivo, aquí a punto de maduración, se obtienen las aceitunas, que pueden consumirse aderezadas o de las que se obtiene el apreciado aceite de oliva.

HORTALIZAS Y FRUTALES

La gran mayoría de las hortalizas, árboles frutales y frutos del bosque son dicotiledóneas. Algunas de ellas, como el guisante y la judía, germinan con mucha rapidez en condiciones favorables y permiten ver fácilmente los dos cotiledones propios del embrión de todas las dicotiledóneas.

LA GRAN OPORTUNIDAD

Probablemente las plantas con flores empezaron a ganar terreno a las demás plantas gracias a los grupos de **dinosaurios migratorios** que dejaban arrasados y fertilizados los terrenos por donde pasaban. Ningún otro grupo de plantas podía competir con las plantas con flores en rapidez para producir semillas y colonizar el suelo.

De la vid se obtiene la uva, un fruto que se puede consumir fresco y del que, mediante fermentación, se obtiene el vino.

CACTOS Y PLANTAS CARNOSAS

Las flores perfectas, a veces de gran belleza, de estas plantas las delatan como dicotiledóneas. Una forma de reconocer una dicotiledónea por sus flores consiste en contar el número de piezas de cada parte de la flor (pétalos, estambres, pistilos). Casi todas las dicotiledóneas tienen cuatro o cinco piezas o bien varios grupos de cuatro o cinco.

LAS FLORES VISTOSAS Y LAS LEGUMINOSAS DE LOS PRADOS

Casi todas las hierbas y matas con flores vistosas, como el clavel o la rosa, así como todas las leguminosas pratenses como el trébol o la alfalfa son dicotiledóneas. En general suelen serlo todas aquellas plantas cuyas hojas tienen las nervaduras ramificadas.

El nopal es una planta crasa que produce un fruto, comestible, que se conoce con el nombre de higo chumbo.

La margarita es una planta herbácea de la familia de las compuestas, y de la que existen numerosas especies y colores.

LAS MONOCOTILEDÓNEAS

Con el nombre de **monocotiledóneas** se han bautizado las plantas con flores cuyo embrión sólo tiene una hoja o **cotiledón**. Pero no debes dar excesiva importancia a esta característica, porque hay otras más importantes. Basta que te fijes en una palmera y la compares con un roble, que va engrosando su tronco y sus ramas año tras año mientras la palmera sólo crece en altura. ¡He aquí una diferencia notable!

DIFERENCIAS ENTRE MONOCOTILEDÓNEAS Y DICOTILEDÓNEAS

Aparte de diferenciarse respecto a su estructura embrionaria, ambos grupos de plantas con flores y frutos mantienen otras diferencias importantes.

ELEMENTOS DISTINTIVOS ENTRE MONOCOTILEDÓNEAS Y DICOTILEDÓNEAS

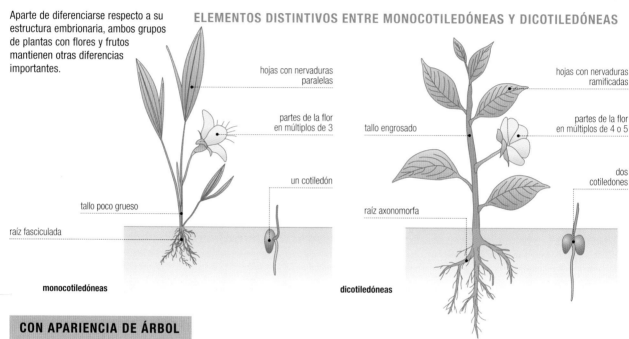

hojas con nervaduras paralelas

partes de la flor en múltiplos de 3

un cotiledón

tallo poco grueso

raíz fasciculada

monocotiledóneas

hojas con nervaduras ramificadas

tallo engrosado

partes de la flor en múltiplos de 4 o 5

dos cotiledones

raíz axonomorfa

dicotiledóneas

CON APARIENCIA DE ÁRBOL

El platanero o bananero es una planta tropical que produce espigas de frutos (los plátanos) en el extremo del eje de su inflorescencia. Parece un árbol, pero lo que tú llamarías tronco no es más que este eje abrazado por las vainas de las hojas que surgen de un corto rizoma situado en la base. De manera que, en realidad, se trata de una "hierba grande" monocotiledónea, no de un árbol leñoso dicotiledóneo.

LAS GRAMÍNEAS

Son las hierbas más abundantes, que forman los céspedes naturales o sembrados por los seres humanos y están adaptadas al pasturaje de los animales al permanecer el tallo y las yemas a ras del suelo. Sus flores son muy poco vistosas, pero las semillas de las que forman el grupo de los **cereales** cultivados tienen una gran importancia para la humanidad desde tiempos inmemoriales. El **bambú** es la única gramínea que no es herbácea.

El arroz constituye uno de los alimentos básicos de una buena parte de la humanidad. En la imagen, terrazas de cultivos de arroz en Bali (Indonesia).

COMPARACIÓN DE ALGUNAS CARACTERÍSTICAS

Monocotiledóneas	Dicotiledóneas
Embrión con un cotiledón	Embrión con dos cotiledones
Semillas maduras con endospermo	Semillas maduras sin endospermo
Hojas de nervaduras paralelas y bordes lisos	Hojas con las nervaduras ramificadas
Carecen de crecimiento en grosor	Presentan crecimiento en grosor
Partes de la flor en número de 3 o en múltiplos de 3	Partes de la flor en número de 4 o 5 o en múltiplos de esos números
En general, herbáceas	Herbáceas y leñosas
Haces vasculares dispersos en el tallo	Los haces vasculares del tallo forman un cilindro
Raíz fasciculada (ramificaciones con igual desarrollo)	Raíz axonomorfa (una raíz principal y otras secundarias)

LIRIOS, AGAVES, CEBOLLAS...

Son monocotiledóneas adaptadas a perdurar en regiones secas mediante **bulbos**, **tubérculos** o **rizomas**. Entre ellas se encuentran flores muy conocidas, como la azucena, el lirio, el tulipán y el gladiolo. Otras tienen el tallo coriáceo, como la esparraguera, el drago o la yuca. La cebolla y el ajo son de las pocas hortalizas que son monocotiledóneas.

La yuca es una planta arborescente que alcanza los 15-20 metros de altura; durante la floración presenta grandes flores colgantes.

El drago es una planta arbórea de crecimiento muy lento, aunque puede alcanzar grandes dimensiones a lo largo de los miles de años que llega a vivir.

LOS AROS Y LAS PALMERAS

Tienen en común el tipo de **inflorescencia** que forman sus flores, llamada **espádice**. En lo demás, son muy diferentes. Las palmeras no soportan los climas fríos y son de las pocas monocotiledóneas que llegan a tener aspecto de árbol, aunque su tallo sólo crece en altura y mantiene siempre el mismo diámetro.

El cocotero es una palmera de la que se aprovecha todo: el tronco se utiliza en carpintería; su yema terminal constituye un gran alimento; las hojas se emplean para cubrir chozas y hacer objetos de cestería; del fruto, el coco, se aprovecha el líquido interior como bebida, la carne se puede tomar cruda o seca, obteniéndose por prensado un aceite del que se hacen jabones y cosméticos.

El palmito es la única palmera europea viviente. No crece tanto como las otras palmeras. También se llama palmito al corazón del tronco de la planta, que es comestible.

LAS ORQUÍDEAS

También hay orquídeas en las regiones templadas, pero son hierbas vivaces de flores menos espectaculares que las de las orquídeas tropicales. La originalidad de éstas se debe a una adaptación a la polinización mediante insectos. Son flores muy irregulares y casi siempre hay un pétalo más desarrollado que los otros, que forma una especie de labio.

En todo el mundo hay más de 20.000 especies diferentes de orquídeas, algunas de las cuales son cultivadas en invernaderos y se venden a precios muy elevados.

JUNCOS, PAPIROS Y ESPADAÑAS

Se parecen un poco a las gramíneas, pero viven en terrenos pantanosos o que se encharcan fácilmente. Son plantas con **rizomas**, por tanto, perennes. En la antigüedad se hacían láminas con la médula de los tallos del papiro, que se utilizaban para escribir sobre ellas. Estos tallos pueden alcanzar hasta 3 metros de altura.

El papiro es una planta vivaz, con un tallo que alcanza los 3 metros de altura y los 10 centímetros de grosor. De estos tallos se obtenían antiguamente unas tiras que, colocadas perpendicularmente, remojadas y aplanadas con una maza, ofrecían una superficie para escribir.

HORCHATA DE CHUFA

La chufa es una especie de junco que en la huerta valenciana (Mediterráneo occidental) se viene cultivando desde hace siglos. Es una planta perenne cuyo rizoma emite estolones subterráneos que forman los pequeños tubérculos ovoides llamados **chufas**. Tú mismo puedes hacerte horchata de chufa. Hay que lavarlas bien y tenerlas en remojo unas 24 horas, cambiándoles el agua varias veces, para que se hinchen. Luego se machacan, se les añade agua y azúcar y se exprimen. Con 200 gramos de chufas puedes hacerte un litro de horchata.

LAS PLANTAS DE LAS ZONAS FRÍAS

Las zonas frías de nuestro planeta son las tierras más apartadas del ecuador y más próximas a los polos. Las plantas que viven en estos lugares están muy condicionadas sobre todo por las temperaturas mínimas y máximas del año y la duración de la época del año en que pueden estar activas biológicamente. Los dos tipos de bioma básicos que se encuentran en estas zonas son la **tundra**, en las más frías, y los vastos **bosques de coníferas** que constituyen la **taiga**.

LA MORADA DEL RENO Y EL CARIBÚ

El reno y el caribú, habitantes de la **tundra**, tienen que vivir emigrando constantemente de un lado a otro porque no existe suficiente vegetación en ninguna comarca local como para sustentarlos. El suelo de la tundra es como un pantano congelado. Sólo durante el brevísimo verano se descongela una capa superficial del suelo de un palmo de espesor como máximo. En estas condiciones sólo pueden vivir **líquenes**, **musgos**, **juncos** y algunos **arbustos muy bajos**.

Algunas zonas del sur de la Patagonia argentina y chilena presentan una vegetación de estepa e incluso de tundra.

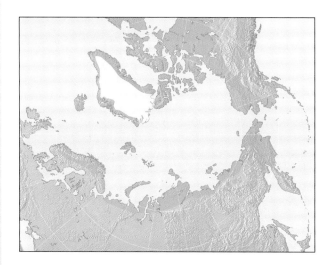

Mapa del Ártico, con la línea del círculo Polar Ártico, señalando los límites de la tundra.

La palabra **tundra** deriva de un vocablo finlandés que significa "terreno sin árboles".

ÁRBOLES ENANOS

En la tundra menos rigurosa, además de las plantas habituales en estas zonas, crecen **alisos**, **abedules** y **sauces** arbustivos que son primos hermanos de los grandes árboles que conocemos con los mismos nombres. Son ejemplos prácticos de los diferentes caminos por los que evoluciona la vida por adaptación a diferentes condiciones ambientales.

Hojas de abedul enano (a la izquierda) y de sauce enano (a la derecha), capaces de resistir los rigores de la tundra.

PLANTAS IGLÚ

Dentro de los iglús que construyen los esquimales con bloques de hielo, se puede vivir aunque la temperatura exterior sea de −50 ºC, porque el hielo es un poderoso aislante térmico. Muchas plantas de la tundra y de alta montaña vienen a hacer lo mismo: adoptan la forma de cojín, que al cubrirse de nieve se comporta como un iglú.

Para resistir las bajas temperaturas, el cojinete de saxífraga adopta la forma de un iglú.

EL DOMINIO DE LAS CONÍFERAS

Hay coníferas en todas partes del mundo, pero donde reinan sin que ninguna otra planta pueda competir con ellas es en las zonas frías de condiciones no tan duras como las de la tundra. Allí se forman extensos bosques siempre verdes y sombríos de **piceas**, **abetos**, **pino albar** y otras coníferas. En el sotobosque hay **arándanos**, **musgos**, **líquenes** y **licopodios**. En el continente americano, las especies son diferentes: gigantescas **secuoyas**, **pinabetes** y **abetos de Douglas**.

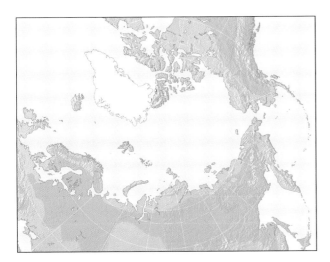

Mapa del Ártico, con la línea del círculo Polar Ártico señalando los límites de la taiga.

Algunas especies de abetos (como este abeto de Douglas, en el oeste de EEUU) alcanzan los 100 metros de altura y un diámetro del tronco de hasta 5 metros.

La tundra está cubierta de nieve de 200 a 300 días al año.

En el límite entre la taiga y la tundra, las temperaturas medias diarias están por debajo de 0 ºC durante ocho meses seguidos.

¡CUARENTA GRADOS BAJO CERO!

¿Por qué las hojas de la **picea** resisten temperaturas de hasta –40 ºC sin sufrir daños por el hielo? Porque ofrecen la mínima superficie posible, son coriáceas y están recubiertas de una gruesa capa de cera aislante. Por si fuera poco, al llegar el invierno, estas hojas se deshidratan, con lo cual no pueden congelarse, y el árbol se sume en un profundo **letargo** hasta la llegada del buen tiempo.

LA CONÍFERA DIFERENTE

Una de las pocas coníferas de hoja caduca es el **alerce**. Parece contradecir todo lo dicho sobre las ventajas de las coníferas, pero no es así. Aunque las hojas de las coníferas resisten temperaturas muy bajas, muy pocas pueden soportar el riguroso invierno siberiano. El alerce se adaptó desprendiéndose de sus hojas todos los años. Y así puede vivir donde ya no puede hacerlo la picea.

Aunque el alerce es una conífera, durante el riguroso invierno llega a perder sus hojas (en el dibujo).

LOS ALIADOS EN UN SUELO POBRE

El suelo de los bosques de coníferas ni es profundo ni rico en **nutrientes minerales**. La hojarasca de conífera forma un **humus** de baja calidad que se mineraliza con mucha lentitud, de manera que los nutrientes se hallan en la capa superficial del suelo. Afortunadamente, en estos bosques viven muchos **hongos** que forman **micorrizas** con las raíces de las coníferas, absorbiendo nutrientes que luego ceden al árbol.

Canadá cuenta con los bosques de coníferas más extensos del planeta.

LA GRAN VENTAJA

No es la resistencia al frío lo que favorece a las coníferas en la taiga, ya que las frondosas se defienden bien del invierno desprendiéndose de sus hojas, sino poder mantener la hoja todo el año. Después de un largo invierno, las coníferas empiezan a fotosintetizar desde el primer día de primavera, y además ahorran energía al no tener que producir nuevas hojas todos los años. Teniendo en cuenta que la estación favorable en la taiga es muy breve, la ventaja de las coníferas es indiscutible.

LOS BOSQUES CADUCIFOLIOS

Cuando veas bosques de hayas, robles, arces, castaños y otras **frondosas de hoja caduca**, puedes tener la seguridad de que estás en una región de clima templado y húmedo, con las estaciones de primavera, verano, otoño e invierno bien marcadas y lluvias durante todo el año. Estos bosques, llamados caducifolios, son los mejor adaptados a estas condiciones, siempre que puedan disponer de un suelo rico en nutrientes, ya que renovar todo el follaje cada año representa un gasto de energía considerable.

HOJAS DELICADAS Y DERROCHADORAS DE AGUA

Las hojas de las frondosas son tiernas y planas, y sólo están recubiertas de una cutícula muy fina. Esto las hace muy eficientes a temperaturas moderadas y en presencia de agua abundante, pero sería un grave inconveniente frente a una helada o a un verano seco y cálido. Ante una helada, el agua contenida en los tejidos de estas hojas formaría cristales de hielo que las destruiría. Por otra parte, una frondosa transpira tal cantidad de agua a través de sus hojas, que se deshidrataría bajo el sol y la sequía de un verano mediterráneo.

En otoño es muy fácil distinguir los árboles de hoja perenne (verdes) y los de hoja caduca (amarillean).

El almendro es un árbol frutal muy interesante desde el punto de vista económico, ya que las almendras tienen numerosas aplicaciones alimentarias, pero su floración precoz lo hace muy vulnerable a los fríos tardíos.

LO IMPORTANTE NO ES LA LLUVIA

Puedes encontrar un bosque caducifolio en lugares donde llueve poco para las exigencias normales de estas plantas. Pero lo importante para la planta no es tanto el agua que cae como la diferencia entre ésta y la que se evapora, o bien directamente del suelo o bien a través de sus hojas (**transpiración**). De manera que en una zona poco lluviosa pero con frecuentes nieblas o nubes que hacen disminuir la evaporación, puedes encontrar un bosque de frondosas.

¿POR QUÉ DESPRENDERSE DE LAS HOJAS?

Pensarás que una frondosa se desprende de sus hojas antes de entrar en el invierno para que el hielo no se las destruya. Pero a este motivo hay que añadirle otro tan o más poderoso que aquél. El agua helada no puede ser absorbida por las raíces; de manera que en invierno, con el suelo helado, un haya moriría de sed por poco que transpiraran sus hojas. Le tiene más cuenta desprenderse de ellas y sumirse en un letargo hasta que llegue la primavera.

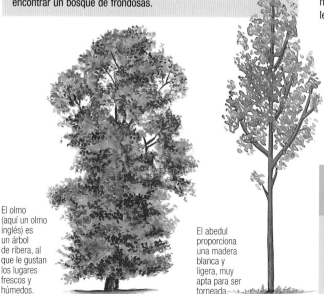

El olmo (aquí un olmo inglés) es un árbol de ribera, al que le gustan los lugares frescos y húmedos.

El abedul proporciona una madera blanca y ligera, muy apta para ser torneada.

Un hayedo normal transpira unas 4.000 toneladas de agua cada año.

El haya (aquí en otoño) suele exhibir una copa esférica de gran tamaño.

LAS ESTACIONES Y EL CICLO DEL BOSQUE

EL REPOSO INVERNAL

Los árboles del bosque caducifolio entran en reposo tras haberse desprendido de sus hojas en otoño. Sus yemas dormidas, al abrigo del frío bajo una cubierta protectora y deshidratadas para poder resistir las heladas, pueden soportar temperaturas inferiores a –25 ºC.

→ La frondosa que bate todas las marcas de resistencia a las bajas temperaturas es el abedul. ¡Sus yemas invernantes pueden resistir hasta 40 ºC bajo cero!

LA PRIMAVERA

Cuando llega la primavera, las frondosas inician una intensa actividad fotosintética desarrollando potentes copas. Es el momento que aprovechan las plantas del sotobosque para medrar, antes de que los árboles cierren el cielo y dejen el bosque sumido en la penumbra.

EL VERANO

En el bosque ya no penetran los rayos del Sol, con lo que se mitiga la pérdida de humedad del suelo. En las horas más calurosas del día, las plantas cierran sus estomas y permanecen inactivas hasta que se acerca la noche, cuando vuelven a abrir sus estomas.

EL OTOÑO

Cuando llega el otoño, los árboles del bosque van reduciendo progresivamente el aporte de agua a la copa y retirando la clorofila de las hojas. Así se preparan para desprenderse de ellas. Pero antes producen las yemas de las que brotarán las nuevas hojas en la primavera siguiente. Por fin, el suelo se cubre de una hojarasca que producirá un humus de gran calidad para iniciar un nuevo ciclo.

UN BOSQUE ALEGRE

Las frondosas no siempre forman bosques puros y sombríos. A menudo el haya no es dominante y convive con diversas especies de pinos, robles y tejos. Son los llamados **bosques mixtos**, que suelen estar habitados por muchos tipos de animales, ya que ofrecen una gran diversidad de posibilidades, es decir, de nichos ecológicos. El bosque mixto es menos monótono que un bosque caducifolio típico.

EL ROBLE

Cuando todos los árboles de hoja caduca han perdido todas sus hojas, verás que el roble las mantiene semimarchitas hasta poco antes del rebrote primaveral. Es un árbol especial, que viene a ocupar un lugar intermedio entre las frondosas y los árboles de hoja coriácea persistente del Mediterráneo como la encina. Por eso los robledales se encuentran en áreas de clima intermedio.

LOS OPORTUNISTAS

Los botánicos llaman oportunistas a aquellas especies que aprovechan los claros que se producen eventualmente en un bosque para medrar rápidamente, sea tras la caída o muerte de un árbol, sea tras un incendio, ya que no pueden hacerlo a la sombra del bosque cerrado. Los **arces** son árboles oportunistas. No verás nunca un bosque de arces. Sólo los encontrarás salpicando un bosque de manera irregular. En otoño los distinguirás enseguida por el color amarillo rojizo de sus hojas.

La hoja de arce campestre.

LAS PLANTAS DE LOS CLIMAS MEDITERRÁNEOS

Si observas de cerca una hoja de encina, verás que es coriácea (correosa), reluciente y bastante más gruesa que la hoja de las frondosas. Es el tipo de hoja que caracteriza a las plantas adaptadas al clima mediterráneo, de inviernos muy suaves y veranos largos, secos y calurosos. Son plantas que siempre se mantienen verdes, aunque pasan sed y, en consecuencia, también pasan hambre, porque sin agua las plantas no pueden realizar la fotosíntesis.

LA HOJA ECONOMIZADORA DE AGUA

Las plantas mediterráneas necesitan ahorrar agua si quieren sobrevivir. Por eso tienen la hoja pequeña, ofreciendo poca superficie de evaporación, y además recubierta de una gruesa cutícula de cera impermeable. De esta manera, pueden controlar la evaporación a través de los estomas que poseen únicamente en la cara inferior de la hoja.

Las hojas de la encina tienen 3 o 4 años de vida, pasados los cuales caen sin amarillear hacia el mes de agosto, cuando el árbol está en reposo vegetativo para soportar el fuerte calor estival. Las bellotas son el fruto de la encina.

→ Un **acebuche** puede producir varios millones de flores, pero sólo una parte muy reducida de ellas llegan a ser frutos maduros.

El olivo es un árbol típicamente mediterráneo y de gran longevidad, ya que algunos ejemplares alcanzan los mil años de vida.

UNA HOJA CARA

Si tienes presente que una encina "pasa hambre" y que su robusta hoja tiene un coste de producción más elevado que la fina hoja de una frondosa, comprenderás que a la planta le salga más económico retenerla que desprenderse de ella cada año para tener que producirla nuevamente.

Las dehesas de **alcornoques** son las más valiosas. Además de tener los mismos aprovechamientos que las otras dehesas, producen **corcho**.

APROVECHAR EL INVIERNO

El otoño y el invierno mediterráneos, al no ser fríos, permiten a las plantas la actividad fotosintética –es decir, alimentarse– si no todos, al menos una buena parte de los días. Además, es precisamente en esta época del año cuando la planta dispone de más cantidad de agua para nutrirse. No es extraño, pues, que las plantas mediterráneas conserven la hoja todo el año. Así pueden compensar la sed y el "hambre" que han pasado a lo largo del dilatado verano.

LAS DEHESAS DE ENCINAS Y ACEBUCHES

Las dehesas de la península Ibérica son un ejemplo de aprovechamiento sabio de los productos de la naturaleza sin estropearla. Hay dehesas de encinas, de acebuches y de ambas especies mezcladas.
En una dehesa, el ganado pace en libertad, alimentándose de raíces, tubérculos, hierba, ramos tiernos y frutos (bellotas o acebuchinas), y fertiliza la tierra con sus excrementos. Además, las copas de los árboles protegen a los animales del frío y del calor.

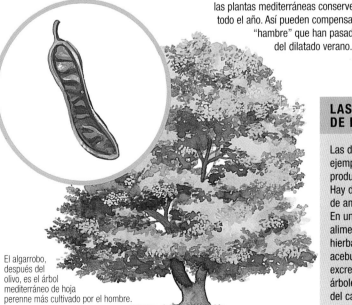

El algarrobo, después del olivo, es el árbol mediterráneo de hoja perenne más cultivado por el hombre.

NO CRECER TANTO

Otra característica de la vegetación mediterránea es el porte más bien reducido de los árboles, en comparación con los gigantescos árboles de los bosques templados de frondosas. Incluso en las zonas más áridas domina la vegetación arbustiva, que además tiene las raíces más profundas que los árboles.

El madroño es una planta arbustiva que alcanza los 4 metros de altura. Su fruto es granuloso, de color rojo y comestible.

LOS PINARES MEDITERRÁNEOS

En determinadas zonas muy áridas, los pinos aventajan a las encinas. Pero la mayoría de los pinares mediterráneos actuales son producto de la tala de encinares.

UN PINO EXCEPCIONAL

Los pinos que ves habitualmente no resisten un incendio; sus yemas no soportan temperaturas tan elevadas. Pero en las islas Canarias crece un pino que rebrota tras un incendio. Es el llamado **pino canario**, un árbol inmenso que puede alcanzar los 60 m de altura con un tronco de dos metros y medio de diámetro.

Hojas de pino canario (en la isla de La Palma).

LA MAQUIA

No creas que es fácil abrirse camino por entre la espesa vegetación arbustiva típica del Mediterráneo, la maquia. Por desgracia te será difícil encontrarla en su máximo esplendor, ya que el fuego y las urbanizaciones han causado estragos en estas formaciones vegetales. Pero en ciertos espacios naturales protegidos todavía puedes admirar la belleza, el colorido y el perfume de la maquia.

LA LAURISILVA

Es una selva templada de hoja perenne, que se desarrolla bajo un **clima benigno** con muy poco contraste entre las estaciones y con humedad suficiente para mantener la actividad biológica permanentemente. El nombre de **laurisilva** viene del tipo de hoja de las plantas que la forman, parecido a la del **laurel** que también crece en el Mediterráneo. Las laurisilvas más cercanas a la península Ibérica están en las islas Canarias, donde una gran parte de la humedad no procede de las precipitaciones, sino de la condensación de la niebla y las nubes.

Hojas, flores y fruto del laurel.

LAS PLANTAS DEL DESIERTO

Los desiertos son las áreas del planeta donde casi no llueve nunca. Pero hay plantas adaptadas a sobrevivir bajo mínimos, como habrás visto en algunas películas "del Oeste" americano rodadas en los desiertos de Arizona, Sonora o la Baja California. Una característica del paisaje desértico son los grandes espacios desnudos que hay entre una y otra planta, así como la práctica ausencia de árboles.

DESIERTOS DE MUCHOS TIPOS

A pesar de tener la aridez como característica común, todos los desiertos tienen su propia personalidad. Hay desiertos secos y cálidos, como el del Sahara; muy áridos pero frescos, como el de Atacama (Perú y Chile) y secos y muy fríos, como la Puna del altiplano de los Andes, que se halla a 4.000 m de altitud.

El tallo del **saguaro** es plegable como un acordeón, hinchándose cuando acumula agua y deshinchándose a medida que la consume.

El saguaro se defiende con sus espinas de los sedientos animales que desean mordisquear sus jugosos tallos. Al nacer, los saguaros no pueden sobrevivir expuestos directamente al sol; por ello siempre nacen agrupados al pie de arbustos. Tras las primeras fases de desarrollo, los saguaros sobrepasan a sus "nodrizas".

Algunos desiertos del planeta carecen por completo de vegetación.

RAÍCES PARA LA ARIDEZ

No todas las plantas del desierto utilizan la misma estrategia para enfrentarse a la falta de agua. El gigantesco **saguaro** del desierto de Sonora desarrolla raíces extensas (a veces superan los 30 metros de longitud) y poco profundas, ya que las escasas lluvias que caen en este desierto son de carácter torrencial y sólo humedecen la capa superficial del suelo.

Las plantas del desierto tienen una gruesa epidermis para evitar que se evapore el agua que conservan en su interior.

AGUA PROTEGIDA

En el desierto interesa precisamente el tipo de suelo que no interesa a las plantas de las regiones húmedas, es decir, un suelo arenoso de grano grueso. En estos suelos el agua se infiltra más deprisa y a más profundidad que en un suelo de grano fino, quedando protegida de la fuerte evaporación a la que se ve sometida la capa superficial del suelo.

HOJAS DE USAR Y TIRAR

Hay plantas que se enfrentan a la aridez del desierto de forma parecida a las plantas mediterráneas, a base de tener hojas muy pequeñas, coriáceas y persistentes. Pero otras las tienen anchas y apenas protegidas, e incluso ni siquiera se molestan en cerrar sus estomas en los momentos más críticos: cuando la sequía aprieta, se desprenden de sus hojas, no importa en qué momento. Pero mientras las tienen, su capacidad fotosintética duplica la de las otras plantas.

Las tillandsias son especialistas en captar el agua de las nieblas. Sus hojas tienen unos pelos absorbentes que captan directamente las gotitas de agua condensada procedente de la niebla.

Las opuntia son un género de plantas carnosas, típicas de zonas áridas y desérticas.

LAS MÁS RESISTENTES

Las plantas mejor adaptadas a la aridez extrema son las que absorben grandes cantidades de agua cuando llueve y la almacenan en grandes células que tienen en las hojas o en los tallos (cactos). Son las llamadas **plantas suculentas**. Los **cactos** o carecen de hojas o las tienen transformadas en espinas.

El agua contenida en las hojas, tallos o raíces de algunas **plantas suculentas** del desierto son usadas por los habitantes y viajeros en casos de emergencia.

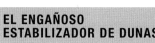

De la **jojoba** se extrae una cera líquida muy empleada en la industria farmacéutica y de cosméticos.

EL ENGAÑOSO ESTABILIZADOR DE DUNAS

Si vieras un **mezquite**, creerías que se trata de una mata. Pero es un árbol. Desde que nace, a medida que el viento levanta la arena, ésta se va acumulando a su alrededor. El mezquite va produciendo nuevas ramas que emergen de la arena y así, con el paso del tiempo, se va formando una duna sustentada por un poderoso árbol de varios metros de altura. Sólo las ramas de la copa asoman a la superficie.

LOS OASIS

Los oasis son islas de vegetación en medio del desierto. Siempre están en depresiones (hondonadas) bajo las cuales hay agua acumulada por filtración. Desde fuera, el agua no se ve, pero las raíces de las plantas viven gracias a esta agua, que a veces está muy cerca de la superficie. A diferencia de las plantas del desierto normales, las de los oasis suelen tener las raíces más profundas y menos extendidas lateralmente, ya que disponen de agua en profundidad.

LAS PLANTAS DE LAS SELVAS TROPICALES

En las zonas ecuatoriales que gozan de una pluviosidad abundante se juntan dos factores que favorecen enormemente el desarrollo de las plantas: calor y humedad a lo largo de todo el año.

No es de extrañar que en tales condiciones se encuentren las formaciones vegetales más exuberantes y más ricas en especies del planeta: las selvas tropicales lluviosas.

EL PREDOMINIO DE LOS ÁRBOLES

Una de las características de la selva tropical es el predominio de los árboles. Además, son árboles de aspecto bien diferente del de los árboles de los otros tipos de bosques. Su tronco es muy recto, y delgado en comparación con su enorme altura. La corteza es lisa y de color claro. Y la copa es más bien pequeña. Sus raíces son muy superficiales, por lo cual los árboles más altos suelen presentar los típicos contrafuertes en su base. Las ramas más bajas se hallan a mucha altura.

Muchos animales que viven en la selva tropical, como los perezosos y ciertos monos, no tocan ni una sola vez el suelo en toda su vida.

Comparación del aspecto externo de los árboles de los diferentes tipos de bosques.

conífera   frondosa   árbol mediterráneo   árbol de la selva tropical

Base del tronco de un árbol de la selva tropical con los típicos contrafuertes.

FRUTOS EN SITIOS EXTRAÑOS

Las flores y los frutos de los arbustos y árboles pequeños y medianos de la selva suelen brotar en sitios muy sorprendentes, tales como el tronco, las ramas gruesas o cortos tallos sin hojas.

El ser humano ha eliminado muchas áreas de selva tropical para extraer maderas de gran valor comercial, como el ébano, la caoba o la higuera de Bengala.

El árbol del cacao. De las semillas de su fruto se obtiene el polvo de cacao.

LAS HOJAS DE LA SELVA

Son del tipo del laurel, pero acaban en punta formando un **goteador** muy característico. Además, las hojas recién brotadas no son verdes (carecen de clorofila), sino de color rojo, carmesí, violeta claro o incluso blanco, y penden como si estuvieran marchitas. La primera vez que se entra en la selva, es fácil "ver" flores donde hay hojas nuevas.

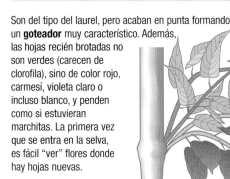

Rama característica de un árbol de la selva tropical.

DIFERENTES TIPOS DE HOJA

hojas de coníferas

hoja de haya

hoja de encina

hoja de la selva tropical (con su punta en goteador)

De entre la exuberancia del bosque tropical, las lianas buscan la luz y poder desarrollarse; en ocasiones, llegan a ahogar a los árboles que utilizan como soporte.

LAS LIANAS

Son los tallos trepadores de multitud de plantas que han optado por acceder a la luz de una manera rápida y sin realizar la gran inversión que representa fabricar un tronco. De esta manera pueden asomarse entre las copas de los árboles, utilizándolos como soporte. En otros tipos de bosques también hay lianas, pero en la selva consiguen un desarrollo descomunal.

En la selva tropical hay **lianas** de tallos gruesos como un brazo y algunas alcanzan una longitud de 240 metros.

Los jabalíes de la selva son carroñeros. Se comen los cadáveres de los monos y otros animales que caen de los árboles al morir.

El cuerno de ciervo es una planta epífita, que toma ese nombre por el gran parecido a las astas de ciertos cérvidos.

INDEPENDIZARSE DEL SUELO

Muchas plantas pequeñas utilizan otra estrategia para acercarse a la luz: independizarse del suelo y vivir sobre los troncos y ramas de los árboles. Al igual que las lianas, no se trata de parásitos, ya que sólo utilizan al árbol como soporte. Entre estas plantas, llamadas **epífitas**, se encuentran musgos, helechos y bellas plantas con flores. Cada una de estas plantas recurre a diferentes trucos para proveerse de "suelo", humus y agua en los huecos, grietas, bifurcaciones y repliegues de los troncos y las ramas.

UN CICLO CERRADO DE NUTRIENTES

Diariamente caen al suelo de la selva toneladas de restos vegetales. Pero, a las pocas horas después de una tormenta, el agua escurrida de hoja en hoja inunda el suelo, donde hormigas, termes y otros comedores de detritos inician el proceso de descomposición. Dada la elevada temperatura del ambiente y la legión de microorganismos presentes en el suelo, el mantillo es transformado casi automáticamente en minerales asimilables por las plantas. Y éstas los absorben, así van siendo liberados, con sus raíces superficiales. Es un ciclo cerrado y rápido.

Apenas visible, en el suelo se desarrolla una gran actividad de transformación.

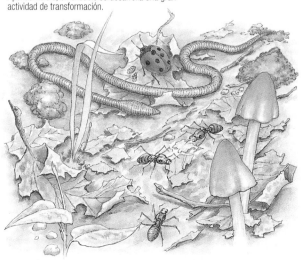

Gracias a la incorruptibilidad de la madera de teca, ésta se utiliza para la construcción de muebles que deban ir al exterior.

LA TECA

Muchas mesas y bancos destinados a permanecer al aire libre se hacen de la madera de un árbol llamado **teca**, que no se corrompe con la humedad. Estos árboles forman bosques en las zonas tropicales en las que llueve mucho pero no durante todo el año, como en la selva. A estos bosques se les llama **bosques tropicales deciduos** porque muchos de sus árboles pierden la hoja durante la estación seca.

LAS PLANTAS DE VIDA ACUÁTICA

Si quieres hablar con precisión, debes distinguir entre un alga y una planta acuática. Las algas son los vegetales acuáticos por excelencia, pero no son plantas, ya que no tienen tejidos ni raíces ni tallos ni hojas. Sin embargo, hay plantas que viven en el agua, sea completamente sumergidas o sólo a medias, sea flotando libremente o dejando flotantes sólo sus hojas. Muchas de ellas son plantas con flores, es decir, plantas terrestres, pero adaptadas a la vida acuática.

CON LOS PIES EN REMOJO

Muchas plantas colonizan los suelos empapados o sumergidos hasta una profundidad de poco más de un metro. Viven con sus raíces o rizomas fijados en el fondo, pero con sus tallos y hojas fuera del agua. Para evitar que sus raíces se asfixien por falta de oxígeno, estas plantas tienen hojas especiales con grandes espacios llenos de aire. Así pueden enviar este aire a sus raíces.

La belleza de algunas especies de nenúfar hace que se utilicen como plantas ornamentales de los estanques o algunos jardines.

El junco (izquierda) y la espadaña (derecha) son plantas emergentes de agua dulce.

Nenúfar gigante del Amazonas.

HOJAS FLOTANTES

Otras plantas viven ancladas en los fondos sumergidos mediante sus raíces y mantienen las hojas flotando en la superficie. Estas hojas suelen ser robustas y de forma circular, y tienen un pecíolo muy flexible y más largo que la profundidad a la que vive la planta. De esta manera están a salvo de los daños que les produciría el movimiento del agua.

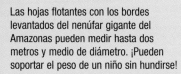

Las hojas flotantes con los bordes levantados del nenúfar gigante del Amazonas pueden medir hasta dos metros y medio de diámetro. ¡Pueden soportar el peso de un niño sin hundirse!

ÁRBOLES MALFORMADOS Y BURBUJAS MALOLIENTES

Esto es lo que se ve a primera vista en un **manglar**, si es que no te lo impide una nube de insectos y otros animalejos que añaden "suciedad" a estos sitios. Los manglares son bosques semisumergidos que se forman en costas bajas tropicales y se hallan sometidos a la influencia de las mareas. Una masa enmarañada de raíces como puntales elevan la base de los árboles por encima del cenagal podrido. De ellas salen, verticalmente, otras raíces aéreas respiratorias. En los manglares hay mucha vida, y cerca de ellos mucha pesca.

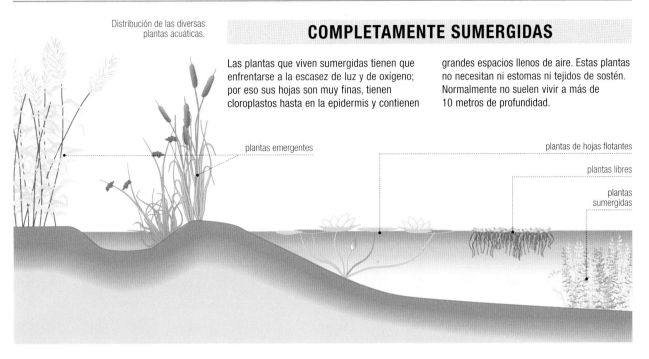

Distribución de las diversas plantas acuáticas.

COMPLETAMENTE SUMERGIDAS

Las plantas que viven sumergidas tienen que enfrentarse a la escasez de luz y de oxígeno; por eso sus hojas son muy finas, tienen cloroplastos hasta en la epidermis y contienen grandes espacios llenos de aire. Estas plantas no necesitan ni estomas ni tejidos de sostén. Normalmente no suelen vivir a más de 10 metros de profundidad.

plantas emergentes

plantas de hojas flotantes

plantas libres

plantas sumergidas

Ciertas plantas, como la *eichornia* (abajo), llegan a entorpecer la navegación en algunos ríos de América. Arriba, la *lemna*, un género de plantas flotantes que forman un manto verde sobre el agua, en especial, en los remansos.

LIBRES EN EL AGUA

Hay plantas que viven a merced del agua, sea en la superficie, sea sumergidas, sin anclar sus raíces en ningún tipo de sustrato. Algunas de estas últimas tienen hojas transformadas en trampas para capturar diminutos animales que también viven a merced del agua (zooplancton).
De esta manera compensan la escasez de nutrientes minerales disueltos en el agua.

Myriophyllum.

Plantas sumergidas.

PRADERAS SUBMARINAS

Estas "algas" secas en forma de cinta que las olas arrastran a la playa no son algas. Son **plantas con flores**, llamadas **posidonias**, adaptadas a vivir en los fondos marinos bien iluminados cercanos a las costas, donde forman vastas praderas que son auténticos hervideros de vida. Si te fijas, tienen un rizoma del grosor de un dedo, con raíces, de cuyo extremo salen los haces de hojas. Afortunadamente, pocos animales marinos se las comen, pero los erizos las devoran día y noche. No obstante, su peor enemigo son las redes de arrastre de los barcos de pesca.

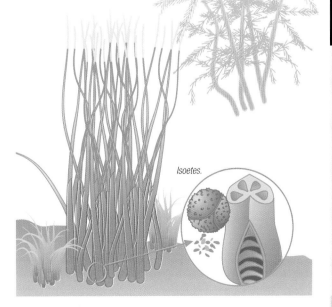

Isoetes.

Erizo alimentándose de posidonias.

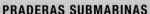

PLANTAS SILVESTRES COMESTIBLES

Antes de practicar la agricultura, los humanos vivían de la caza y recolección de vegetales o partes de ellos. Pero no creas que esto ha pasado a ser prehistoria. Todavía hay en el mundo pueblos y tribus que se alimentan, si no por completo, básicamente de esta manera. Incluso en los países que basan su alimentación en la agricultura y la cría de ganado, se consumen productos de vegetales silvestres, muchos de los cuales alcanzan un valor comercial considerable, como ciertos hongos.

LAS SETAS MÁS APRECIADAS

No se encuentran las mismas setas en todas las regiones ni son apreciadas de la misma manera en todos los sitios. Una de las regiones más aficionadas al consumo de setas silvestres es la mediterránea. En sus bosques crece un gran número de especies comestibles; pero en la práctica la mayoría de los consumidores se limitan a recolectar y comer las más exquisitas.

La colmenilla (*Morchella vulgaris*) es comestible, y se encuentra entre olmos y fresnos, en primavera.

La *Lepista nuda*.

HOJAS Y TALLOS TIERNOS

Aunque muchas de las plantas silvestres que se recolectan tienen equivalentes entre las plantas cultivadas, algunas tienen un sabor más acentuado y esto hace que sean apreciadas. Un ejemplo son los espárragos. Aunque son más gruesos y carnosos los de huerta, los silvestres ("trigueros") son mucho más sabrosos. Pero no siempre es así; por ejemplo, las castañas silvestres son de calidad inferior a las cultivadas.

Los espárragos son los nuevos vástagos que salen cada año a finales de invierno. Si no se cortan, se convierten en tallos con hojas. Se pueden cocinar de múltiples maneras.

AGUAMIEL

Al florecer, la **pita** produce un tallo largo en cuyo extremo aparecen las flores. Si se corta ese tallo, rezuma un líquido llamado aguamiel, con el cual en México se elabora una bebida espiritosa llamada **pulque**.

La genciana se utiliza en la preparación de numerosos aperitivos.

LOS FRUTOS SILVESTRES

Son, junto con las setas, los productos de la naturaleza más apreciados hoy en día, tanto para consumir frescos como para elaborar helados, mermeladas y repostería. Incluso se utilizan en la cocina moderna para conseguir sabores agridulces originales.

El pan de indio toma este nombre porque lo consumían los oriundos de América del Sur a la llegada de los españoles.

PARA EL GANADO

Los seres humanos no sólo consumimos plantas silvestres comiéndolas directamente. Una buena parte de los alimentos de origen animal que consumimos tienen su origen en **pastos naturales** y otras plantas silvestres con las que se alimenta el ganado. Así como en la península Ibérica los mejores cerdos son los que se alimentan de **bellotas**, en México adquieren gran importancia ganadera los frutos del **candelero**.

La zarzamora es una planta arbustiva espinosa que se utiliza para delimitar campos y caminos. Su fruto se denomina mora o mora silvestre, y se puede consumir fresco o hacer con él deliciosas mermeladas.

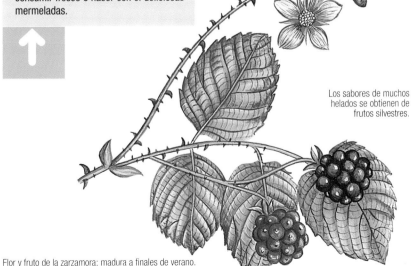

Flor y fruto de la zarzamora; madura a finales de verano.

Los animales que viven en libertad no ingieren plantas que les puedan resultar tóxicas. Su instinto les guía.

FRUTOS SECOS SILVESTRES

Son muchos los frutos secos cultivados que también existen en la naturaleza, donde suelen ser más pequeños y a veces con un sabor más intenso. Otros no se cultivan, pero, si son de especies forestales, a veces se utilizan para hacer repoblaciones y así obtener un beneficio añadido. Algunas repoblaciones de pinos, por ejemplo, se han hecho con pino piñonero y de esta manera se cosechan las piñas para comercializar los piñones.

Los piñones del pino piñonero no son realmente frutos, sino semillas. La nuez del Brasil es la semilla del fruto de un árbol muy abundante en la selva amazónica, que se comercializa en todo el mundo.

La **nuez del ricinodendron** constituye la mitad en peso de la dieta vegetariana de los bosquimanos del desierto de Kalahari.

Los sabores de muchos helados se obtienen de frutos silvestres.

LAS PLANTAS MEDICINALES

Los humanos primitivos ya usaban determinadas plantas como remedios para dolencias, y todavía hoy existen pueblos que basan su práctica médica sólo en el uso de plantas con propiedades curativas. En los países industrializados se utilizan más los pro-ductos farmacéuticos, pero muchas de estas sustancias se extraen de las plantas. Otras se fabrican en los laboratorios e industrias farmacéuticas "copiando" la composición química del **principio activo** de las plantas que tenían efectos curativos.

¿QUÉ ES UNA PLANTA MEDICINAL?

Muchas plantas contienen sustancias químicas que pueden producir efectos especiales en el cuerpo de los seres vivos, beneficiosas o perjudiciales. Estas sustancias se llaman **principios activos**. Las plantas medicinales son aquellas que tienen uno o varios principios activos capaces de evitar, aliviar o curar enfermedades. Los efectos producidos por el principio activo de una planta medicinal van muy ligados al **modo de empleo** de la planta y la cantidad que se aplica o administra de ella, es decir, la **dosis**.

Numerosos fármacos y remedios se elaboran a partir de los principios activos contenidos en plantas medicinales.

La herboristería, o herbolario, es la tienda donde se venden plantas medicinales y se preparan fórmulas de remedios tradicionales.

LAS SUSTANCIAS QUE CURAN

Lo importante de una planta medicinal son sus **principios activos**. Estas sustancias suelen estar concentradas en una parte determinada de la planta, que puede ser la raíz, las hojas, las flores, etc.

De la manzanilla interesan las cabezuelas o inflorescencias. La infusión de manzanilla tiene propiedades digestivas.

LA PLANTA DEL OPIO

En tiempos de tus abuelos, casi todas las familias de campesinos tenían una o dos plantas de **adormidera** en una esquina del huerto de la casa. Cuando alguien tenía dolor de muelas, se tomaba una infusión de esta planta. La adormidera es un ejemplo de planta con **alcaloides**, que son sustancias de acción mucho más intensa que los principios activos normales. La adormidera los concentra en sus frutos, de los que se obtiene el **opio** y la **morfina**, poderosos calmantes narcóticos.

EL ORIGEN DE LA ASPIRINA

Hace siglos que los seres humanos ya utilizaban el extracto de la corteza de sauce para calmar el dolor, y en las farmacias del tiempo de tus bisabuelos se vendía este producto. Luego, los químicos consiguieron aislar el principio activo de ese extracto y sintetizarlo en el laboratorio, es decir, a producirlo artificialmente mediante síntesis química. Y salió al mercado con el nombre de aspirina.

La amapola es una especie muy parecida a la adormidera.

RECOGER Y GUARDAR

Las plantas medicinales –o partes de ellas– se recolectan en el momento en que el contenido de principios activos está en su punto óptimo. Luego, normalmente, se ponen a secar de diferentes maneras: colgadas, extendidas sobre papel o cañizos, o bien al horno. Este último sistema se usa sobre todo para secar frutos. Las cortezas y las raíces se secan previamente troceadas. Por último, las plantas secas y trituradas, o reducidas a polvo en un mortero, se conservan envasadas para tenerlas a punto cuando se necesite preparar una **tisana**.

Los **jarabes** se preparan añadiendo la planta medicinal a una disolución de azúcar en agua.

MODOS DE PREPARAR UNA TISANA

TIPO DE TISANA	PREPARACIÓN
Infusión	Se vierte el agua hirviendo sobre la planta medicinal y se tapa la taza.
Cocción	Se hierve en envase cerrado la planta medicinal durante 10-20 minutos.
Maceración	Se deja la planta medicinal en remojo durante varias horas.

Tisana por infusión.

Para preparar una tisana por cocción, tras hervir la planta medicinal el tiempo necesario, se cuela o filtra.

Para preparar una tisana por maceración, se vierte agua caliente sobre la planta medicinal y se deja en remojo durante el tiempo prescrito.

LA DOSIS MORTAL

Nunca utilices las plantas medicinales sin ayuda de una persona experta. Las sustancias químicas que contienen, si bien pueden ser beneficiosas a pequeñas dosis, pueden ser muy tóxicas a dosis que parecen normales. La **belladona** es un ejemplo. Sus principios activos y alcaloides son muy útiles en medicina, pero personas que, por ignorancia, han ingerido frutos de esta planta han muerto por parálisis respiratoria.

Belladona.

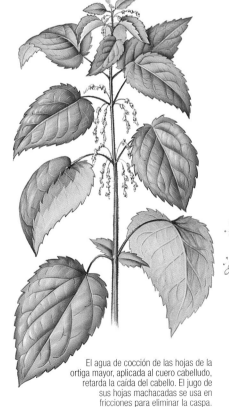

El agua de cocción de las hojas de la ortiga mayor, aplicada al cuero cabelludo, retarda la caída del cabello. El jugo de sus hojas machacadas se usa en fricciones para eliminar la caspa.

¿PARA QUÉ SIRVEN?

Normalmente, una misma planta produce más de un efecto beneficioso; pero suele destacar como remedio para un tipo determinado de dolencias. Del mismo modo, para una misma dolencia se pueden utilizar diferentes plantas. En las herboristerías ya las tienen clasificadas en función de sus efectos curativos e incluso disponen de mezclas en proporciones adecuadas que actúan con mayor eficacia.

La valeriana es una planta medicinal de la que se obtienen extractos con propiedades para tratar la ansiedad, el insomnio, los espasmos gastrointestinales y las contracturas musculares.

LAS PLANTAS AROMÁTICAS

Hay plantas que desprenden un aroma o un perfume especial que se nota incluso sin tocarlas. Pero te habrás dado cuenta de que ciertas plantas desprenden su fragancia cuando las rozas, y que otras no sueltan su perfume si no las estrujas entre los dedos. Todas esas plantas deben su fragancia a las esencias que contienen en sus tejidos. Estas **esencias** o **aceites esenciales** son sustancias químicas solubles en alcoholes y aceites, que se pueden extraer de la planta y ser utilizadas para fabricar lociones, colonias, perfumes y aromatizantes, todos ellos naturales.

CON FLORES DE DOS LABIOS

Una de las familias de plantas con más especies aromáticas es la de las **labiadas**. Con una simple lupa puedes ver que la corola de sus flores consta de un labio superior formado por dos pétalos y otro inferior formado por tres. Las labiadas aromáticas se usan en perfumería y cosmética, como aromatizantes naturales de los alimentos y también como plantas medicinales. Tienen las esencias concentradas en diminutas vesículas presentes en los pelos de las hojas y flores.

Una esencia es un líquido con una gran concentración de sustancias aromáticas.

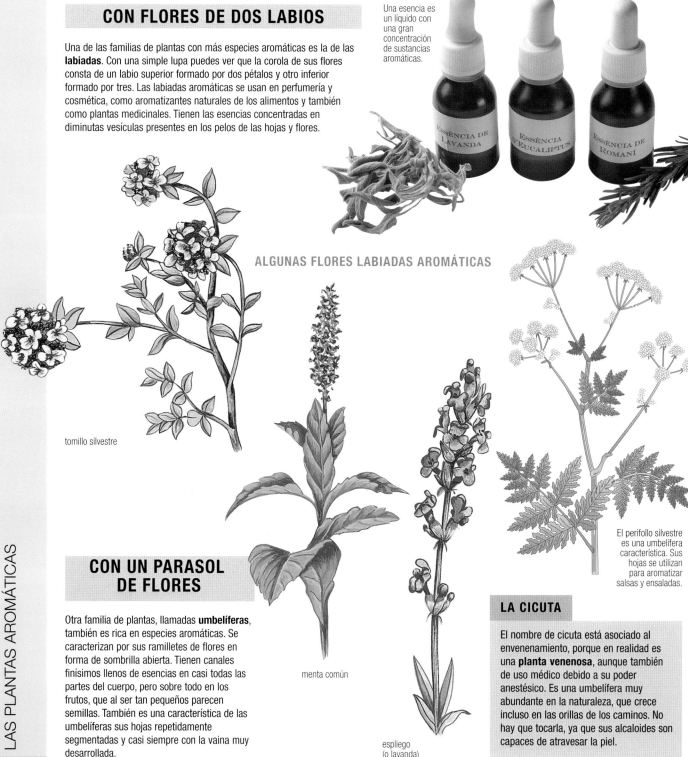

ALGUNAS FLORES LABIADAS AROMÁTICAS

tomillo silvestre

CON UN PARASOL DE FLORES

Otra familia de plantas, llamadas **umbelíferas**, también es rica en especies aromáticas. Se caracterizan por sus ramilletes de flores en forma de sombrilla abierta. Tienen canales finísimos llenos de esencias en casi todas las partes del cuerpo, pero sobre todo en los frutos, que al ser tan pequeños parecen semillas. También es una característica de las umbelíferas sus hojas repetidamente segmentadas y casi siempre con la vaina muy desarrollada.

menta común

espliego
(o lavanda)

El perifollo silvestre es una umbelífera característica. Sus hojas se utilizan para aromatizar salsas y ensaladas.

LA CICUTA

El nombre de cicuta está asociado al envenenamiento, porque en realidad es una **planta venenosa**, aunque también de uso médico debido a su poder anestésico. Es una umbelífera muy abundante en la naturaleza, que crece incluso en las orillas de los caminos. No hay que tocarla, ya que sus alcaloides son capaces de atravesar la piel.

UNA FLOR COMPUESTA DE CENTENARES DE FLORES

Si observas con una lupa la flor de la margarita o de la manzanilla, verás que está compuesta por un elevado número de diminutas flores apretadas. Lo que parecen pétalos son prolongaciones o lígulas de las flores que bordean el **capítulo**. Las plantas con este tipo de inflorescencias forman la familia de las **compuestas**, que también contiene numerosas especies aromáticas.

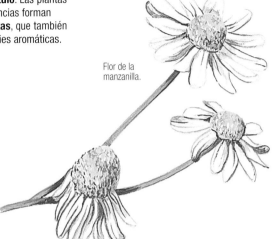

Flor de la manzanilla.

→ El té de roca se cría en las grietas de las peñas, especialmente en el Pirineo y florece desde junio hasta agosto. Se recolectan las cabezuelas justo antes de abrirse y una vez secas se usan para hacer infusiones que se toman como si se tratara del té común.

FLORES ESPECIALES

Lo que vulgarmente se llaman colonias, son en realidad aguas perfumadas con una esencia disuelta en un poco de alcohol. Un perfume, en cambio, es una esencia concentrada. Hay plantas aromáticas cuya flor tiene un perfume único y solamente presente en la flor, como la rosa, el jazmín, la violeta y la flor de azahar.

A su belleza natural, la rosa suele exhalar un agradable olor.

La flor de azahar es la flor de los naranjos y limoneros, tanto silvestres como cultivados.

LA VAINILLA Y EL CHOCOLATE

Cuando los españoles conquistaron México descubrieron que los nativos condimentaban el chocolate con unos polvos perfumados obtenidos del fruto de una planta. Esta planta, la vainilla, es una orquídea trepadora que sólo crece en climas tropicales. La esencia aromática está sólo en el fruto sin madurar, es decir, que se tiene que cosechar verde y luego secarlo de una forma muy controlada. La vainilla es muy usada en confitería, repostería, fabricación de chocolate y elaboración de coñac y ron.

← Hoy en día, una gran parte de la vainilla y muchas de las sustancias aromatizantes que se usan se fabrican sintéticamente.

PLANTAS PRODUCTORAS

Los alimentos de origen vegetal que compramos en las tiendas y los mercados, como el arroz, las patatas, las lechugas o las naranjas, los cultivan los agricultores. Las plantas cultivadas tienen su origen en plantas silvestres que el hombre ha ido transformando a lo largo de miles de años para facilitar la recolección, favorecer las partes comestibles y mejorar la calidad de éstas. Pero los agricultores también cultivan plantas que sirven para fabricar muchas cosas, como ropa, cestos, tabaco, alpargatas o materias colorantes para teñir tejidos.

LA DOMESTICACIÓN DE LAS PLANTAS

El hombre primitivo fue domesticando plantas de la misma manera que hizo con los animales. Guardaba siempre las semillas de las plantas más interesantes o de los híbridos más vigorosos y productivos. Al cabo de muchos años, la planta cultivada apenas se parecía a la silvestre original y estaba mejor adaptada que ésta a las condiciones creadas por el hombre. Cuanto más domesticada está una planta, más depende de los cuidados del agricultor, porque ha perdido los caracteres que la protegían de los herbívoros, como espinas y sustancias tóxicas, así como la capacidad para reproducirse por diseminación.

El maíz es un ejemplo de planta muy domesticada, prácticamente incapaz de reproducirse sin la ayuda del hombre. Si se abandona un maizal, cuando caen las mazorcas al suelo los granos no pueden quedar enterrados y las semillas por sí solas no reproducen nuevas plantas de maíz.

La **mazorca del maíz** que se cultiva en la actualidad es siete u ocho veces más larga que la de las primeras plantas que se domesticaron de este cereal.

ACEITE ALIMENTICIO

¿Te has preguntado alguna vez por qué el **aceite de oliva** es mucho más sabroso que los otros aceites del mercado como el de **soja**, **maíz**, **girasol** o **cacahuete**? El de oliva se extrae de un fruto, la aceituna, y además por simple prensado de estos frutos. En cambio, los demás aceites se obtienen de las semillas de la planta; primero se extrae el aceite de la semilla con un disolvente químico y luego hay que refinarlo mediante nuevos tratamientos químicos.

CESTOS, ALFOMBRAS, SOMBREROS...

Los tallos fibrosos de las plantas son muy resistentes y a menudo flexibles. Con **tiras de castaño** o de **corteza de abedul** se hacen cestos y con el **mimbre** (ramas jóvenes de sauce) se hacen hasta muebles. Con **esparto** se hacen alpargatas, cestos y alfombras. Con **paja**, se hacen sombreros, y con las **hojas del palmito**, se confeccionan cestos, asientos de sillas y alfombras. También se hacen innumerables objetos con **caña**, **anea** y **junco**.

CULTIVOS PARA OBTENER SEMILLAS

Los más importantes son el **trigo**, el **arroz** y el **maíz**, que son la base alimenticia de la mayoría de los seres humanos. Otras semillas cultivadas son el **mijo**, **sorgo**, **avena**, **cebada** y **centeno**, que también son cereales, y legumbres como la **judía**, **lenteja**, **garbanzo**, **haba** y **guisante**.

El trigo constituye un importante alimento para la humanidad. Su grano se muele, y con la harina resultante se hace el pan, las galletas y la pasta (macarrones, espaguetis, etc.).

Las legumbres, y en especial las judías o los frijoles, son una importante fuente de proteínas para mucha gente que carece de medios para consumir carne con regularidad.

RAÍCES

En los trópicos tiene mucha importancia el cultivo de raíces engrosadas ricas en almidón, como **batata**, **mandioca**, **taro** y ñame. En los climas templados se cultivan **nabos**, **zanahorias** y, para extraer azúcar, la **remolacha azucarera**.

El aguacate se empezó a cultivar hace unos 7.000 años en América Central, donde se le llama "mantequilla de los pobres". Las mismas plantas son la base de la producción moderna.

CAFÉ, TÉ, VINO, CACAO

Excepto el **vino**, que se elabora por fermentación de la **uva**, propia de climas mediterráneos, la mayoría de las plantas que se cultivan para obtener bebidas son de países tropicales, como el **café**, el **té** y el **cacao**.

El café se elabora con las semillas tostadas del cafeto, un arbusto.

La canela es la corteza de las ramas del canelo, secada y desprovista de la epidermis.

EN BUSCA DE PLANTAS RARAS

Hace unos 600 años los europeos se aventuraron a cruzar los océanos en busca de productos vegetales que potenciaban el sabor de los alimentos, como la pimienta, el jengibre, el clavo o la canela. Son las llamadas **especias**. En aquellos tiempos había especias más apreciadas que el oro y los mercaderes mantenían en secreto su lugar de procedencia. Más tarde se cultivaron a gran escala y dejaron de ser productos exóticos.

TEJIDOS DE FIBRAS NATURALES

Las fibras artificiales, como el poliéster, no existían hace 60 o 70 años. La ropa, si no era de lana de oveja, era de **algodón** o de **lino**, dos fibras obtenidas de plantas que se cultivaron a gran escala hasta no hace mucho tiempo y que todavía se siguen cultivando, aunque mucho menos. Con las fibras del **cáñamo** se hacen cuerdas y con las del **yute**, sacos y alfombras.

La fibra de algodón, con la que se pueden realizar numerosos tejidos, se obtiene de las células epidérmicas de las semillas del algodonero.

En los países tropicales el azúcar se extrae de la caña de azúcar; en los de clima templado, de la raíz engrosada de la **remolacha azucarera**. En ambos casos, el azúcar se obtiene a partir del jugo.

ARBORICULTURA

Entre los primeros árboles que el hombre domesticó se encuentran el **olivo**, la **palmera** y el **aguacate**. Hoy se cultivan infinidad de especies y variedades de árboles frutales, tanto tropicales como de climas templados. El cultivo de árboles frutales se llama **arboricultura**.

Las especies silvestres que podrían ser los antepasados del tabaco contienen cantidades demasiado altas de nicotina en sus hojas. Los primitivos cultivadores de tabaco debieron utilizar el cruzamiento para obtener variedades con bajo contenido de nicotina.

La fibra de cáñamo está en la corteza del tallo de la planta.

PLANTAS PARA ADORNAR LA CASA

Si te gustan las plantas, puedes alegrar el interior de tu casa, siempre que te preocupes por saber las necesidades que tiene cada una de ellas en luz, humedad, riego, tipo de tierra, nutrientes minerales y temperatura. Recuerda que las **plantas de interior** necesitan para vivir exactamente los mismos requisitos que sus hermanas que viven en libertad, adaptadas a las condiciones ambientales del lugar donde crecen. Por tanto, sólo se desarrollarán bien dentro de la casa si encuentran unas condiciones semejantes (luz, temperatura, etc.) a las que están adaptadas por naturaleza.

HÉROES DE INTERIOR

Si no conoces el lugar de origen de una planta y las condiciones en que vive en libertad, puedes guiarte por su forma de crecimiento, el tipo de hoja y otras características para saber cómo tratarla. Las plantas más resistentes son aquellas que tienen las hojas rígidas, coriáceas y persistentes y son de crecimiento lento. Así son las **palmeras**, los **filodendros**, los **ficus**, las **drácenas**, la **aspidistra**, la **sansevieria** y el **lirio verde**, entre otras.

El ficus posee unas grandes y brillantes hojas verdes. Lucen más si se las limpia periódicamente.

Algunas plantas, como la camelia, "se ofenden mucho" cuando son movidas o giradas durante el desarrollo de sus yemas florales y al abrir los capullos.

LA LUZ

En general, las plantas de flor requieren mayor cantidad de luz que las que no florecen. Las plantas suelen acusar la falta de luz volviéndose de color más pálido.

El potus necesita poca tierra pero mucha agua, y crece bastante rápidamente.

BÚSCALE UN SITIO QUE LE GUSTE

A la hora de buscarle un sitio a tu planta, es muy importante tener en cuenta la distribución de la luz y hasta donde llegan los rayos solares directos. También debes tener en cuenta que en un lugar cerrado, la temperatura y la sequedad del aire aumentan hacia la parte superior; de modo que en los puntos más elevados debes poner las plantas menos sensibles y que requieren menos agua.

SOMBRA Y HUMEDAD

Hojas lisas y tallos blandos y jugosos delatan a las plantas que viven en suelos húmedos y sombríos. Son las plantas que cubren el suelo de las selvas tropicales húmedas o de los bosques húmedos de climas cálidos, como las begonias de hoja, las gloxinias, las violetas africanas, los helechos o los musgos.

La petunia es una planta procedente de América del Sur y de la que existen varias decenas de especies silvestres. Las especies híbridas se utilizan como planta de adorno por la belleza de sus flores.

Al comprar una planta de interior, debe preguntarse cuánta luz y humedad precisa aproximadamente. El dibujo muestra la luz promedio que recibe una planta según su situación.

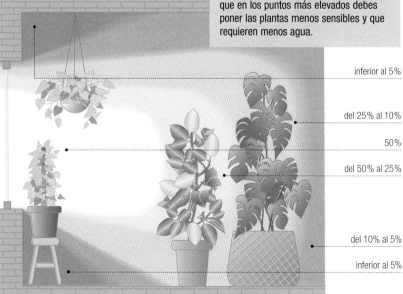

inferior al 5%

del 25% al 10%

50%

del 50% al 25%

del 10% al 5%

inferior al 5%

LAS EPÍFITAS DE LA SELVA EN CASA

Las plantas **epífitas de la selva tropical lluviosa** viven sobre otras plantas, y sus "raíces" están reducidas a pequeños ganchos. Imitar en casa las condiciones a las que están adaptadas estas plantas no es fácil. Quieren humedad en el aire, por lo que la sequedad que produce la calefacción no les sienta bien. Y si pulverizamos el ambiente, hay que evitar que el agua caiga sobre las hojas.

Es el caso, de las **orquídeas arbóreas**, el **cacto de Navidad** o el **helecho cuerno de alce**.

Los cactos, plantados en un tiesto o en un rincón del jardín, necesitan poca agua.

Las orquídeas necesitan cuidados muy específicos según la especie.

PLANTAS ORIGINALES

Al estar habituados a las hojas uniformemente verdes de la mayoría de las plantas, nos atraen esas variedades que tienen las hojas con franjas, listas o punteados de color amarillo. Estas plantas, llamadas **variegadas**, deben esta originalidad a la carencia –parcial o total– de pigmento verde en las hojas. Son muy bonitas, pero, al tratarse de una carencia, son más delicadas, florecen con menor frecuencia, o no florecen, y su crecimiento es más lento.

MUCHA LUZ

Las plantas que desarrollan ramas con rapidez y que forman continuamente muchas hojas jóvenes suelen requerir mucha luz. Sin embargo, no olvides que en la naturaleza nunca se dan las condiciones que en tu casa se crean junto a una ventana expuesta a una fuerte radiación solar directa, que por calentamiento de los cristales puede llegar a producir quemaduras en la planta.

Los daños por exceso de luz pueden aparecer al cambiar repentinamente una planta de un lugar oscuro a otro iluminado, o al variar la iluminación del sitio en que vive la planta.

Los coleos resultan muy llamativos por los cambios de coloración que presentan sus hojas.

El exceso de luz, y más todavía el de calor, puede dañar las plantas. Conviene atenuar ese exceso de insolación con una rejilla o un toldillo.

PLANTAS TODO TERRENO

No creas que por ser menos delicadas, las **plantas crasas** y los **cactos** carecen de belleza. Al ser plantas adaptadas a las condiciones del desierto, normalmente necesitan un período de "**reposo seco**" en invierno.

La floración de algunas plantas crasas es muy llamativa y, por lo general, dura muchas semanas.

La vriesia presenta unas hojas alargadas cuya parte central adquieren un tono rojizo muy vivo.

EL JARDÍN

Si observas un jardín, rápidamente verás que no es sólo un conjunto de plantas, ni una colección de plantas bonitas. La persona que lo ideó, colocó las plantas de una forma determinada, pensando en cómo se encontrarían las personas en él una vez que los árboles hubieran crecido y los conjuntos de plantas hubieran formado masas verdes de diferentes tonalidades. También pudo planificarlo de manera que hubiera un espacio para los juegos, una sombra bajo la cual sentarse a charlar las tardes de verano o incluso algún rincón donde recogerse para meditar.

LOS ÁRBOLES DEL JARDÍN

Los árboles de los jardines tienen diferentes funciones. Los más decorativos son las **coníferas**, que mantienen su bello follaje verde todo el año, y las exóticas **palmeras**. Los llamados **árboles de flor** se tienen por la belleza de sus flores en un momento determinado del año, como el **almendro**, las **mimosas** o el **árbol del amor**. Los árboles de hoja caduca y de crecimiento en forma de copa se usan para dar sombra en verano en sitios donde conviene que en invierno dé el sol. Son los llamados **árboles de sombra**, como el **tilo**, el **castaño de Indias**, la **tipuana** y el **plátano**.

El plátano de sombra es uno de los árboles más utilizados en las ciudades, pues proporciona una agradable protección frente al sol durante el verano y, al ser de hoja caduca, deja pasar los débiles rayos solares en invierno. Detalle de las hojas y del fruto.

¿CÓMO SE PLANTA UN ÁRBOL?

Varios días antes de comprar el árbol debes excavar un hoyo de cerca de 1 m de fondo y 1 m de ancho. La tierra extraída hay que mezclarla con estiércol o con compost. Al plantar el árbol, primero riega el fondo del hoyo y coloca una parte de la tierra; apoya en ella las raíces de la planta y ve añadiendo el resto de la tierra, apretándola contra las raíces. Finalmente, riega por encima de manera que el agua filtre y llegue a todas las raíces.

Existen numerosas especies de palmeras, algunas muy apreciadas por sus frutos (como el cocotero o la palmera datilera). Pero también se utilizan como árbol de adorno por su esbeltez. Para que crezca bien, periódicamente se cortan las hojas inferiores de su penacho, dejando a la vista el tallo desnudo (en la fotografía).

Aunque parezca mentira, en el lugar que ocupa este jardín hubo hace unas décadas una enorme cantera de cemento. Es el famoso Butchart Gardens, de Canadá.

LOS MACIZOS

La belleza de un jardín no radica en las plantas individuales, sino en las masas de plantas de una misma especie o de unas pocas especies similares. Estas masas se llaman macizos, que pueden ser verdes o floridos. Los arbustos se prestan mucho para hacer macizos.

JARDINES EN MINIATURA

El arte de cultivar plantas enanas tiene la ventaja de que no exige grandes espacios. Se trata de cultivar árboles y arbustos en macetas mediante técnicas que impiden el desarrollo normal de sus raíces y tallos. Estos árboles en miniatura, llamados **bonsáis**, viven tanto como sus congéneres de tamaño normal.

LOS SETOS

Los setos son barreras verdes que se utilizan en los límites del jardín o para separar espacios dentro de éste. Los setos más hermosos están formados por árboles, arbustos y matas de diferentes alturas y formas, imitando la vegetación natural. Pero también se utilizan los setos regulares de una sola especie, que suelen podarse todos los años, a veces formando figuras geométricas.

Los setos tienen, además de una función estética, delimitar espacios de un jardín o propiedad, proteger a otras plantas o flores del efecto del viento, hacer de barrera del ruido y de la contaminación, e incluso para hacer los curiosos laberintos.

JARDINES PARA MEDITAR

En Japón, la mayoría de los jardines están pensados para proporcionar sosiego y paz interior a la persona que pasea por él. Son los llamados **jardines zen**. El emplazamiento y disposición de los elementos que los componen, como piedras, agua y vegetación, así como los motivos dibujados en la gravilla de los paseos, incitan a la meditación en armonía con la naturaleza.

JARDINES PARA VIAJAR

Si alguna vez te paseas por un jardín botánico, verás plantas procedentes de todas las regiones del mundo. Algunas de estas plantas son muy raras o de sitios a los que sería difícil llegar. Pasearse por uno de estos jardines es como hacer un viaje alrededor del mundo.

EL CÉSPED

El césped es una mezcla de diferentes especies de gramíneas y otras hierbas adaptadas a ser segadas a ras del suelo y a resistir el pisoteo. Es una hermosa alfombra natural, pero en las regiones que tienen un verano largo y seco, exige un elevado consumo de agua de riego. Por eso muchos jardines mediterráneos se hacen sin césped o éste se establece en un espacio muy reducido. Las grandes extensiones de césped son propias de climas húmedos y no muy soleados, como los jardines de la cornisa cantábrica, Gran Bretaña o el norte de Francia.

LA ROCALLA

Las rocallas son islas de especies propias de terrenos áridos plantadas entre rocas amontonadas de manera adecuada y con los resquicios rellenos de tierra. Su función es decorativa y dan un toque salvaje al jardín. Las plantas de rocalla están adaptadas a la sequía y la fuerte insolación, y adaptan sus raíces entre las piedras.

Los jardines a la francesa (en la fotografía el de Schönbrun, en Viena, Austria) suelen consistir en grandes parterres con macizos de flores muy ordenados y sin elementos intermedios que impidan la visión en profundidad.

El césped es muy característico de los jardines ingleses. En la fotografía, jardines de Hampton Court, cerca de Londres (Gran Bretaña).

ÍNDICE ALFABÉTICO DE MATERIAS

Anatomía
vegetal

Fisiología
vegetal

Reproducción

Flor, fruto
y semilla

Ecología
y evolución

Las algas

Los hongos

Las plantas

Plantas con
flores y frutos

Las plantas y
su ambiente

Las plantas
acuáticas

Las plantas
silvestres

Las plantas
domesticadas

El jardín

**Índice
alfabético
de materias**

95